Botsing

Eerder verscheen van dezelfde auteur bij
The House of Books:

Nickname

INGRID OONINCX

BOTSING

the house of books

Eerste druk september 2011

Copyright © 2011 by Ingrid Oonincx
Een uitgave van The House of Books, Vianen/Antwerpen

Omslagontwerp
Wil Immink Design
Omslagfoto
Getty Images/Gail Shumway
Foto auteur
© Wim v.d. Hulst
Opmaak binnenwerk
ZetSpiegel, Best

www.thehouseofbooks.com

ISBN 978 90 443 3280 3
D/2011/8899/147
NUR 332

Voor Anton, Milan en Kamiel

I

Dit is het moment van de waarheid. Binnenkort zal ik weten of ik eindelijk de verlossing zal voelen waar ik zo naar verlang. Mijn handen trillen. Door de stof van mijn jaszak heen voel ik de ijzige kou van het staal.

Ik weet hoe het zal verlopen. Eerst sperren de ogen open, dan gaat het angstzweet vloeien en begint het aanhoudende gesmeek. Tot zover niets bijzonders.

Maar dan komt mijn verrassing.

En pas dan zal het overdonderende besef doordringen, waarna al snel de herkenning en de acceptatie zullen volgen. Daaruit zal ik de meeste bevrediging halen.

De punt van het vlijmscherpe mes zal de huid raken, het vlees openrijten en zich een weg banen naar de kwetsbare organen.

Een steek in het hart zou een voltreffer zijn, maar is moeilijk. Ik kan geen risico nemen. Zekerder is het om de keel in *een strakke haal open te snijden of het mes in de buik te boren en dan in een korte ruk het vlees naar boven toe open te scheuren.*

Het verbaast me dat ik op dit moment nog twijfel over de methode. Ik heb zo lang de tijd gehad om hierover na te denken.

Als het zover is, zal ik weten wat te doen.

Ik bel aan met een glimlach op mijn lippen.

Een jaar eerder...

2

Ewoud

Als Ewoud zijn lange benen strekt, voelt hij een venijnig tikje ter hoogte van zijn knie. Hij kijkt op en ziet een boze bejaarde dame met haar wandelstok snibbig haar beenruimte terugeisen. Geërgerd fronst hij zijn wenkbrauwen en kijkt weer naar buiten. De brede trottoirs zijn gevuld met winkelende mensen: gezinnen, groepjes opgeschoten pubers, blonde vrouwen met veel sieraden en grote tassen. De bel van de tram klingelt. Schokkerig rijdt het voertuig verder, Ewouds lange, magere lijf beweegt traag mee in de cadans. Hij is moe. Als hij het juist heeft, telde vannacht slechts twee uur van de kwaliteitsslaap die je hersencellen de kans geeft de boel daarboven weer netjes te ordenen. De rest van de nacht was gevuld met warrige dromen en wanhopig naar de wekker staren.

De bejaarde dame tegenover hem staat op en verlaat de tram. Bij de volgende halte moet hij er zelf ook uit. Een snelle blik leert hem dat iemand de stopknop al ingeduwd heeft.

Moeizaam trekt hij zijn lichaam omhoog aan een van de beugels en als de tram stilstaat, stapt hij uit. In de verte kan hij de kapperszaak van zijn oude vriend al zien. André zal ervan opkijken dat hij weer eens langskomt. Wanneer hij door de ruiten van de herenkapperszaak tuurt, ziet hij André al staan, zoals altijd lachend en druk in de weer met zijn schaar. Ewoud vermoedt dat de gezette, kleine man al lang de pensioengerechtigde leeftijd bereikt heeft, maar nog helemaal geen zin heeft om te stoppen met werken. Hij houdt te veel van de praatjes en grapjes met zijn trouwe, gemêleerde klantenkring, van bouwvakkers tot directeuren. De zaak is een echt mannenbolwerk. Een van die weinige plekken waar nog gerookt mag worden, waar vieze moppen nog kunnen en het belangrijkste: waar niet geoordeeld wordt.

'Ewoud, wat leuk dat je weer eens langskomt.'

Grijnzend loopt Ewoud op de kapper af, omhelst hem en geeft hem wat onhandige klopjes op zijn rug. 'Ik kom me een beetje op laten knappen.' André kijkt hem vorsend aan. 'Knippen, scheren, wenkbrauwen, neus?' Ewoud knikt en gaat in de kappersstoel zitten die André hem aanwijst. In één soepele beweging slaat hij een grote witte mantel om Ewoud heen.

Wanneer Ewouds blonde krullen gewassen zijn en hij weer rechtop voor de spiegel zit, steekt André van wal over zijn favoriete gespreksonderwerpen: politiek en voetbal. Ewoud hoeft alleen maar te luisteren en af en toe instemmend te knikken. Intussen constateert hij dat zijn spiegelbeeld erop vooruitgaat. Het is dat de diepe kringen onder zijn ogen niet weg te krijgen zijn, maar anders zou hij best weer een beetje lijken op de man die hij ooit was.

Hij slaat zijn ogen neer.

'Is het morgen weer zover?' vraagt André als hij Ewoud uitlaat. Ewoud steekt een sigaret op en knikt.

'Maak er maar een heel mooie dag van!'

'Ik ga mijn best doen,' antwoordt Ewoud grijnzend, terwijl hij twijfelt welke kant hij op zal gaan. Het café naast Andrés zaak lonkt, maar hij weet zich te beheersen. De volgende stop vandaag wordt een kledingzaak. Hij heeft al berekend dat hij vijftig euro kan besteden aan een nieuwe broek en nette blouse. Veel te weinig natuurlijk. Ooit gaf hij dat bedrag uit aan een stropdas, maar nu liggen de zaken anders. Een kwartiertje later verlaat hij een winkel met een vrolijk gekleurd T-shirt met opdruk en een donkerblauwe corduroy broek.

In de tram terug naar huis denkt hij aan morgen. Als alles volgens plan verloopt, brengt zijn ex-vrouw hun dochter om drie uur en haalt ze haar om vijf uur weer op. Twee lange uren met Anouk. Hij wil ze optimaal benutten. Eerst een ijsje eten en daarna naar de speeltuin in het stadspark. Dat aanbod moet verleidelijk genoeg zijn.

Thuis in zijn karig ingerichte vooroorlogse rijtjeswoning zet Ewoud de televisie aan, schopt zijn schoenen uit en kijkt ongeïnteresseerd naar een jeugdserie die in zijn jonge jaren heel populair was. Tijdens de aanvangstune van het journaal zapt hij verder en blijft hangen bij een quiz met zogenaamde

BN'ers van wie de namen en gezichten hem niets zeggen. Hij pakt twee flesjes bier en een zak chips uit de kelder en blaast een tijdje kringetjes sigarettenrook de lucht in. Ze lukken best aardig. Niet veel later vallen zijn ogen dicht.

Een enorm lawaai schrikt hem op. Ewoud probeert zijn getergde oren te sluiten voor de herrie, maar zijn rechterarm blijft bewegingloos naast hem op de bank liggen, alsof hij geen deel is van zijn lichaam. Paniekerig graait Ewoud naar zijn lamme arm en schudt ermee. Met hevige tintelingen komt de bloedsomloop weer op gang. Rillerig gaat hij rechtop zitten. Waar is hij eigenlijk wakker van geschrokken? Hij weet het meteen al. Natuurlijk weer zo'n klotevliegtuig. Soms klinkt het gedonder zo hard dat het lijkt alsof het toestel zijn huis binnenvliegt. Op de klok is het vijf uur. Hij spitst zijn oren. Het is weer stil, op het geluid van passerend verkeer na. In zijn studententijd woonde hij direct naast het spoor. Iedereen die op bezoek kwam, vroeg zich af hoe hij in godsnaam die herrie kon verdragen, maar hij was er zo aan gewend geraakt dat hij het niet eens meer hoorde. Wonen onder een aanvliegroute van een luchthaven blijkt toch anders te zijn. Het geluid van een laag overkomend vliegtuig gaat hem nog iedere keer door merg en been, het is zoveel overheersender dan de rustige cadans van een passerende trein.

Kreunend staat Ewoud op en rekt zich uit. Zijn rug doet pijn. Waarom valt hij verdorie toch altijd op de bank in slaap? In het kleine badkamertje op de eerste verdieping slikt hij twee pijnstillers. Vermoeid laat hij zich zakken op het matras op de grond in zijn slaapkamer en trekt het dekbed rillend op tot onder zijn kin. Een zure zweetvoetenlucht dringt zijn neusgaten binnen. Hij keert het dekbed en sluit zijn branderige ogen. Het is belangrijk om nog een paar uurtjes slaap te pakken.

Na het douchen en een gevulde koek, een glas melk en veel zwarte koffie als ontbijt, weet Ewoud niet wat hij moet doen. Doelloos drentelt hij door zijn kleine woning. Hij overweegt even naar de wasserette te gaan, maar verwerpt dat idee door het deprimerende vooruitzicht van het hypnotiserende gedraai van de kolossen in de kale tl-verlichte ruimte. Hij kan toch wel wat beters doen met zijn tijd? Zenuwachtig controleert hij zijn uiterlijk in de spiegel: het gekleurde T-shirt oogt goedkoop en de nieuwe broek slobbert om zijn magere benen. Ondanks zijn goed geknipte kapsel ziet hij er beroerd uit. Hij kan zich nu de blik van Fleur al voorstellen als ze hem ziet: spottend, misprijzend, arrogant. Deze keer mag hij niet boos worden. De vorige keer zei Fleur dat ze haar dochter nooit meer aan zo'n agressieveling zou toevertrouwen. Uit frustratie over die gemene opmerking gaf hij een schop tegen een vuilnisemmer. De angst die hij toen in Anouks ogen zag, trof hem diep. Hoe kon ze op die manier naar haar vader kijken? Waar is het misgegaan? Eigenlijk weet hij het antwoord wel. Zijn ex is vierentwintig uur per dag bezig met het verkopen van leugens over hem. Het is een wonder dat zijn dochter hem überhaupt nog wil zien.

Het geluid van de telefoon doet hem opschrikken. Met bevende handen neemt hij op. Hij hoort een mannenstem. De details ontgaan hem, maar de boodschap is duidelijk. De advocaat van Fleur deelt hem mee dat de omgangsregeling voorlopig is ingetrokken.

3

Lisa

'Mevrouw Van Ostade! Kan ik u even spreken?' Lisa kijkt op en ziet dat de schooljuf van Franka met rood aangelopen gezicht en driftige, kleine pasjes op haar afkomt. 'Natuurlijk. Zegt u het maar,' antwoordt ze vriendelijk wanneer de juf puffend voor haar staat.

'Franka heeft hoofdluis.'

Lisa's glimlach bevriest op haar lippen. 'Wat zegt u daar? Dat is onmogelijk. Ik zie haar nooit krabben.'

'Toch is het zo. De luizenmoeder heeft haar ertussenuit gepikt bij de controle. Ze had er zeker een stuk of tien.' De juf kijkt Lisa beschuldigend aan. 'Ik zal alle kinderen morgen een briefje mee naar huis moeten geven, want we moeten natuurlijk koste wat kost voorkomen dat de hele klas besmet wordt. Ik neem aan dat u vandaag nog maatregelen treft?'

Lisa denkt na. Hoofdluis. Hoe moet ze die uitroeien?

'Weet u wat u moet doen?' vraagt de juf.

Lisa heeft het gevoel dat ze iets triomfantelijks in de stem van de juf hoort. 'Ik neem aan dat u me dat nu precies gaat uitleggen,' antwoordt ze kalm.

De wangen van de juf kleuren nog dieper rood dan ze al waren. 'U moet Franka's haren behandelen met een speciale antiluizenshampoo en minstens twee weken dagelijks controleren. Daarnaast moet u alle kleding, het beddengoed en de knuffels op hoge temperatuur wassen. En vergeet uzelf en uw andere kinderen niet.'

Lisa onderdrukt een gefrustreerde kreun. Dit komt wel heel slecht uit, nu hulp Jasja op vakantie is. Ze krabt achter haar oor. De juf kijkt haar veelbetekenend aan.

'Ik zal ervoor zorgen,' zegt ze en zonder de schooljuf nog een blik waardig te gunnen, pakt ze Franka bij de hand en wandelt naar de gloednieuwe Audi die ze pal voor de school geparkeerd heeft. Ze opent het portier zodat haar dochter kan instappen en wacht op Henry, haar middelste kind. Als Henry over het schoolplein naar haar toe komt rennen, klaart ze weer een beetje op. Hij is het laatste halfjaar hard gegroeid. Zijn stevige kinderarmpjes en -beentjes zijn veranderd in onhandige, broodmagere staken waar hij soms amper controle over lijkt te hebben. Ze zwiepen alle kanten op. Zijn aandoenlijke geworstel met zijn nieuwe lichaam vertedert Lisa. Het liefst zou ze hem een stevige knuffel geven en vertellen dat alles heus wel goed komt met dat gekke lijf, maar van knuffelen moet hij niets meer hebben. Ze begroet haar zoon met een glimlach.

Lisa start de motor. Met een tussenstop bij de drogist rijden ze naar de verbouwde boerderij waar ze nu zo'n tien jaar wonen. Na de geboorte van hun eerste zoon Harald was Lisa tot de conclusie gekomen dat het beter zou zijn haar kind op te voeden op het rustige en overzichtelijke platteland. Toen Henry zich aandiende, vonden ze deze prachtige boerderij met rieten dak een paar kilometer buiten de bebouwde kom van een dorp met een paar duizend inwoners. Ze was onmiddellijk verliefd. Het verbouwen met hulp van een bevriende architect duurde veel langer dan gepland, maar daarna hadden ze dan ook echt een droomhuis met een enorme tuin, zwembad en meer dan genoeg ruimte voor hun gezin dat, na de komst van Franka, uit vijf personen bestond. Zes eigenlijk, als je Jasja, de inwonende huishoudster, meetelde.

Lisa is tot de conclusie gekomen dat het dorpsleven haar goeddoet. Af en toe maakt ze een praatje in de dorpswinkel of op het schoolplein, maar echte vrienden heeft ze er niet bij gekregen. Dat vindt ze niet erg. Ze geniet van de rust, tuiniert, gaat hardlopen in de bossen en vindt het heerlijk dat niemand lijkt te weten wie ze is. De zeldzame keren dat een van de dorpsbewoners haar vraagt wat voor werk ze doet, denken ze vermoedelijk dat ze stewardess is als ze antwoordt dat ze bij NLM werkt.

Een paar vette luizen verschijnen wanneer ze de pas gekochte luizenkam door Franka's fijne, blonde haren trekt. Achter Franka's oren ontdekt Lisa geïrriteerde rode vlekken.

'Meisje, je moet toch vreselijke jeuk hebben. Waarom heb je niets gezegd?'

Franka kijkt haar onbewogen aan en haalt haar schouders op.

Hoofdschuddend knijpt Lisa in het flesje met sterk geurende luizenshampoo en verspreidt het over haar dochters haren. 'Henry, kom eens naar boven, dan doe ik jouw haar ook even,' roept ze naar beneden als ze klaar is, maar ze krijgt geen antwoord. Waarschijnlijk is hij al weer naar buiten. Het kind is geboren en getogen op het platteland en hangt het liefst hele dagen in de bossen rond. Dat komt later wel, denkt Lisa, en ze loopt naar Franka's kamer om de was te verzamelen.

Beneden hoort ze het autobusje dat haar oudste zoon Harald thuis komt brengen. Een paniekgevoel schiet door haar heen. Hoe moet ze hem vertellen over de ongewenste bezoekers? Altijd eerst een koekje en een kopje thee als hij thuiskomt van de opvang, had Jasja haar kort voor haar vertrek ingeprent. Ze haast zich naar beneden. In het voorbijgaan valt haar oog op de volle aktetas in de hal. De belangrijke bespreking voor morgen moet nog voorbereid worden en Wim zou vanavond pas laat thuiskomen van het onderwijscongres. Ze vloekt zacht. Dat wordt weer nachtwerk. Lisa opent de deur. Haar zoon stapt binnen, zijn blik gericht op het spelcomputertje in zijn handen.

'Hallo Harald,' zegt Lisa.

'Waar is Jasja?' vraagt Harald zonder op te kijken.

'Jasja is op vakantie. Net als gisteren. Mama is nu thuis voor jou.' Lisa houdt haar adem in. Harald verstijft. 'Ik heb thee en een koekje voor je,' reageert Lisa snel. 'Ga je mee naar de keuken?' Lisa steekt haar hand naar hem uit. Harald negeert die en loopt naar de keuken.

4

Anna

'Ze zijn er allemaal,' constateert Frank opgetogen, terwijl zijn ogen zorgvuldig de menigte scannen die zich verzameld heeft in het tot restaurant omgebouwde pakhuis. 'Zie je die man daar in dat grijze pak met die blonde krullen? Dat is Harry Davies, een grote projectontwikkelaar hier in Londen. En die man met dat groene jasje, dat is de burgemeester. En daar, aan die tafel linksachter – niet meteen kijken, Anna – dat is Clive Darker, van LAB.' Voorzichtig laat Anna zich een beetje achterover zakken, zodat ze beter zicht krijgt op de befaamde architect die hun grootste concurrent was bij het verwerven van de opdracht voor een bankgebouw in Londen waar ze nu al een jaar non-stop aan werkt. De onopvallende grijze man heeft zijn mouwen opgestroopt en brengt in hoog tempo voedsel naar zijn mond. Je zou niet zeggen dat hij een van 's werelds toparchitecten is.

Anna richt haar ogen weer op haar tafelgenoten. Op dringend verzoek van Frank zijn alle mannen in smoking gekomen. Zelf is Frank het vanzelfsprekende middelpunt en ook zijn vrouw Joyce ziet er stralend uit in een opvallende, robijnrode avondjurk die haar lichtblonde haar perfect accentueert. Haar man is genomineerd voor de meest prestigieuze prijs van de internationale architectuur. Daar ga je als echtgenote vast ook een beetje van stralen, beseft Anna, terwijl ze denkt aan de lange werkdagen en de langdurige verblijven in het buitenland die gebruikelijk zijn voor de medewerkers van Frank Verhulst Architects. Misschien compenseert deze prijs voor Joyce het voortdurende gemis van haar echtgenoot een beetje. Anna hoopt het maar.

Ze slikt met enige moeite een taai stukje bacon uit het voorgerecht door. Echt lekker is het eten niet, maar daar gaat het vandaag natuurlijk ook niet om. Alles draait om Frank en zij, Anna de Wit, mag deel uitmaken van zijn selecte gezelschap op deze bijzondere avond.

Op het podium somt de presentator de namen op van de beroemde architecten die de prijs eerder hebben gewonnen. Nieuwsgierig kijkt Anna naar de bekende gezichten in het volle restaurant. De crème de la crème van de architectuur heeft zich hier vandaag verzameld. Als haar vader haar nu eens zou kunnen zien. Wat zou hij trots op haar zijn!

Wanneer de presentator de namen van de genomineerden opleest, stopt het geroezemoes in de zaal. Een volgspot zet de genoemde personen beurtelings in het spotlight. Stuk voor stuk grote namen in het vak. Frank wordt als voorlaatste genoemd. De presentator breekt zijn tong op zijn oer-Hollandse achternaam. Wanneer het felle licht op Frank valt, lacht hij beminnelijk. Geen spoor van zenuwen te zien. Het treft Anna dat hij zo op zijn gemak is onder al deze aandacht. Niet iedereen is geschikt voor dit soort optredens, maar Frank is ervoor in de wieg gelegd. 'En de laatste genomineerde is: Clive Darker van LAB Architects,' zegt de gastheer. Zodra de volgspot zich van Frank verwijdert en naar Darker op zoek gaat, ziet Anna vanuit haar ooghoeken Franks glimlach verdwijnen. Hij is dus toch gespannen, beseft ze. Begrijpelijk, want het zou in deze economisch slechte tijden waarin steeds minder mooie opdrachten te verdelen zijn, een enorme opsteker zijn voor FVA als Frank nu zou winnen.

Het hoofdgerecht wordt opgediend. De spanning wordt langzaam opgevoerd, want pas bij het dessert zal de prijswinnaar officieel bekend worden gemaakt. Anna staart naar haar bord. Lamsvlees. Ze moet er niet aan denken om een onschuldig, jong diertje op te eten. Ze neemt enkele hapjes sla, legt haar bestek neer en draait een donkerbruine, glanzende haarlok om haar vinger. Frank vertelt geanimeerd over het verloop van het project. Iedereen hangt aan zijn lippen. Anna kijkt toe en neuriet zacht mee met de jazz- en soulklassiekers die de band speelt. De klus in Londen zit er bijna op. Binnenkort keert ze terug naar Nederland. Ze kijkt ernaar uit om eindelijk weer eens wat meer tijd door te brengen met haar zus Maria.

Het opgewonden gefluister in de zaal en de stem van de presentator onderbreken haar gemijmer. De volgspot cirkelt langs de genomineerden. Het is zover. Anna bijt op haar lip van de spanning. 'En de winnaar is...' De presentator pauzeert met een pesterig lachje, voordat hij in één adem de voor hem tongbrekende naam van Frank uitspreekt. Plots worden ze verblind door het felle licht. Anna knijpt haar ogen een beetje toe en door haar wimpers ziet ze haar baas juichend opspringen. Enigszins wankelend volgt ze zijn voorbeeld en ziet hem met een grote grijns op haar afkomen. Hij omhelst haar stevig. Ze voelt zijn adem bij haar oor. 'Deze prijs is ook voor jou Anna,' fluistert hij. Dan laat hij haar los, omhelst zijn vrouw, geeft de Engelse collega's een ferme klap op hun schouder en vertrekt met de energie van een jonge vent naar het podium. Iedereen in de zaal juicht, joelt en klapt. Anna krijgt er kippenvel van.

Anderhalf uur later arriveert Anna samen met haar Britse collega's van FVA in uitgelaten stemming in de pub om de hoek. Op verschillende plekken zitten groepjes architecten in avondkleding na te praten. 'De afterparty!' roept een van haar collega's opgetogen als hij het gezelschap ziet. 'Die losers van LAB zijn er ook,' voegt hij er daarna lacherig aan toe. Het succes van zijn baas en alle gratis drank hebben hem blijkbaar overmoedig gemaakt.

'Niet zo hard,' sist Anna licht beschaamd.

'Darker heeft ons al gezien,' fluistert haar collega samenzweerderig, terwijl hij in de richting van de bar knikt. Anna werpt een snelle blik op hun concurrent, die in deze omgeving nog meer op een bouwvakker dan op een architect lijkt. 'Hij komt naar ons toe.'

'Misschien wil hij ons feliciteren,' zegt haar collega lachend. 'Die prijs is tenslotte ook een beetje voor ons.'

Anna grinnikt. 'Dat zou sportief zijn.' Ze neemt een flinke slok van haar bier. De drank en de overwinningsroes zorgen voor een licht gevoel in haar hoofd.

'Daar hebben we Franks club. Is Frank himself er niet bij?' Anna kijkt in een paar samengeknepen blauwgrijze ogen onder donkere borstelige wenkbrauwen.

'Nee, die is naar huis om ongegeneerd zijn prijs te kunnen bewonderen,' grapt haar collega met dubbele tong.

'Maar zijn beeldschone protegee is wel van de partij,' zegt Darker terwijl hij Anna strak blijft aankijken. 'Je heet Anna. Toch?'

Ze knikt.

Hij steekt zijn hand uit. 'Ik ben Clive Darker. Je hebt goed werk geleverd voor het hoofdkantoor van de bank. Ben je trots?'

'Natuurlijk ben ik dat,' zegt Anna aarzelend omdat ze de interesse van deze man met zijn priemende ogen niet helemaal kan peilen. Wat wil hij van haar? 'Heb je het een beetje naar je zin vanavond?' probeert ze de conversatie in een andere richting te brengen.

'Jawel, jawel... Maar het verliep natuurlijk wel wat anders dan ik gedacht had,' antwoordt Darker.

'Wat bedoel je?'

'Dat begrijp je toch wel, Anna?'

'Nee, pardon.' Vragend kijkt ze hem aan. Dan opeens begrijpt ze waar hij op doelt. De man heeft een eigenaardig gevoel voor humor. 'Je had natuurlijk zelf willen winnen!' zegt ze glimlachend.

'Dat was wel eerlijker geweest,' reageert Darker bloedserieus.

Anna fronst haar wenkbrauwen. 'Sorry?'

'Die prijs behoort welbeschouwd natuurlijk aan mij toe. Ik heb namelijk begrepen dat Frank hem vooral te danken heeft aan zijn ontwerp voor het bankgebouw hier.'

Darker buigt zich naar haar toe. Een misselijkmakende lucht bereikt Anna's neusgaten. De man moet een ontzettend slecht gebit hebben, of spijsverteringsproblemen. Ze zet een pas achteruit.

'Dat ontwerp heeft hij van mij gepikt.'

'Wat zeg je nu? Wat een onzin!' Gechoqueerd door zijn onsportieve gedrag slaat Anna haar armen resoluut over elkaar.

Darker kijkt haar met een spottend glimlachje aan. 'Ben je echt zo verbaasd, Anna?'

'Natuurlijk, zoiets kun je toch niet beweren.'

'Denk maar eens goed na. Herinner je je Kate nog? Een blonde, beetje onopvallende architectuurstudente van begin twintig? Ze heeft maar een paar weken bij jullie gewerkt.'

Anna pijnigt haar hersenen, maar er komen geen specifieke herinneringen aan ene Kate naar boven. Er kwamen zoveel jonge, blonde stagiaires bij hen over de vloer.

'Ik zou het zo snel niet weten.'

'Maakt niet uit. Kate liep stage bij ons, maar Frank heeft haar weggelokt met het aanbod van een goedbetaalde, vaste baan. Natuurlijk vertrok Kate onmiddellijk. Maar niet voordat ze onze ontwerpen voor de bank gekopieerd had. Kun je je voorstellen hoe verbaasd ik was toen bleek dat Frank een van mijn ontwerpen had bewerkt en ingestuurd voor de competitie? Ik heb hem meteen gebeld, maar hij ontkende natuurlijk. Tegen die tijd was die arme, onnozele Kate ook allang weer van het toneel verdwenen, dus aan haar konden we niets meer vragen.'

'Maar je hebt zelf toch een ander ontwerp ingezonden?'

'Dat was inderdaad een ongelukkige keuze. Frank heeft blijkbaar een betere neus voor wat de klant wil dan ik.' Darker lacht bitter.

'Ik vind dit erg onwaarschijnlijk. Frank is een briljant architect met meer dan voldoende eigen ideeën. Hij heeft het helemaal niet nodig om ontwerpen te laten stelen. De suggestie alleen al!' reageert Anna fel.

'Is het jou dan nog nooit overkomen dat hij met jouw ontwerp aan de haal ging? Frank staat er namelijk om bekend.' Darker grijnst gemeen. 'Ik zou die mooie groene kattenogen van je maar gebruiken om goed uit te kijken voor die vent, Anna. Hij is overal toe in staat. Zeker bij zo'n getalenteerde dame als jij.'

Darker draait zich om en beent met grote passen weg. Ontzet laat Anna zich op een stoel zakken. Wat een slechte verliezer. Hoe durft hij Frank zo zwart te maken? Wat een gemene kerel. Het gebrek aan collegialiteit doet haar walgen. De internationale architectuurwereld is keihard, dat blijkt vandaag wel weer. Zeker nu er wat minder opdrachten te verdelen zijn, verhardt de concurrentiestrijd zich merkbaar.

Verbouwereerd doet Anna verslag aan haar collega's. Haar avond is verpest. Ze verlangt ernaar om weer terug naar Nederland te gaan. Nog een paar weken en dan is het zover.

5

Ewoud

Het is donker om hem heen. Hij hoort geen geluid. Of toch...
Het is een laag gebrom. Het komt van buiten. Ewoud concentreert zich en herkent het al snel als een overkomend
vliegtuig. Dan dringt er een nieuw geluid door het geopende
slaapkamerraam zijn donkere cocon binnen. Kinderstemme-
tjes. Een daarvan herkent hij als dat van Anouk. Waarschijnlijk is ze buiten aan het spelen met haar vriendinnetjes. Ze
hinkelt, fietst of speelt verstoppertje. Anouk is een beetje een
wildebras, houdt haar kleren nooit lang netjes. Ewoud glimlacht. Hij vindt het leuk dat Anouk niet zo'n tuttig, roze
prinsessenkind is. Zij houdt van Pippi Langkous. Ewoud
strekt zijn arm uit om zijn nachtlampje aan te doen, maar
stoot daarbij een glas water om. 'Godverdomme,' vloekt hij.
Hij knipt het licht aan en kijkt hoe het water razendsnel
wordt opgenomen door de dikke mosgroene vloerbedekking
die door de vorige bewoners was achtergelaten. Moe laat hij

zich weer achterover zakken op het matras. Zijn oog valt op de grauwe gordijnen voor het raam. Langs de rafelige randen dringt zonlicht naar binnen. De dag is al volop begonnen. Het is tijd om op te staan. Deel te nemen aan het leven. Hij wankelt naar het venster en opent de gordijnen. Fel, overdadig zonlicht stroomt de kleine slaapkamer binnen. Hij moet zijn ogen samenknijpen om iets te zien. Langzaam ontwaart hij de gestalten van drie meisjes van een jaar of acht. Ze hinkelen op het trottoir aan de overkant van zijn huis. Ze hebben zichtbaar pret. Anouk is er niet bij.

Getergd slaat Ewoud zijn handen voor zijn geïrriteerde ogen. Als het aan zijn ex-vrouw ligt, zal hij zijn dochter nooit meer zien hinkelen. Een intense vermoeidheid overvalt hem. Hij denkt aan zijn eigen vader. De man bracht de hele dag op kantoor door, waar hij iets vaags deed in de verkoop van tuinmeubilair. Als hij thuiskwam stond de tafel voor hem gedekt. Vader at zijn maaltijd, las de krant en ging de rest van de avond voor de televisie zitten. Altijd in dezelfde stoel en zonder meer dan twee of drie zinnen tot zijn kinderen en vrouw te richten. Ewoud had gezworen het zelf anders te doen. En dat was redelijk gelukt. Soms was het spijtig dat hij vanwege zijn drukke baan zo weinig thuis was, maar zodra het kon zorgde hij voor Anouk, las haar voor en deed alle leuke dingen die vaders met hun kinderen horen te doen. Als vader was hij geslaagd. Dat durft hij best te zeggen. Hij was waarschijnlijk beter in staat om voor een kind te zorgen dan zijn wispelturige ex. Anouk had zich ooit laten ontvallen dat ze regelmatig bij Fleur in bed sliep als haar moeder verdrietig was of zich alleen voelde. Dat maakte Ewoud boos. Laat een kind toch gewoon een kind blijven en zadel het niet op met de problemen van volwassenen.

Gefrustreerd loopt Ewoud naar de badkamer. Wankelend stoot hij zich tegen de wastafel. Hij vloekt luid. 'Verdomme. Je kunt hier je kont niet eens keren.' Hij draait de koude kraan van de douche open en stapt er zonder aarzeling onder. Zijn hart gaat als een razende tekeer, maar na een paar tellen begint de ijzige kou te wennen. Pas na een minuut draait hij de warme kraan open. Geleidelijk verdwijnen de scherpste randjes van zijn kater.

Na het afdrogen smeert hij zalf op de schaafwonden op zijn knieën. Het is een wonder dat hij gisteren nog thuis is gekomen. Eerder op de avond had hij weer een van die nare telefoontjes gehad. Het was altijd hetzelfde: zodra hij opnam, hoorde hij het bekende liedje. Hij kon de tekst wel dromen.

I've gotta leave this town
I've gotta leave this town behind
I've gotta leave this town tonight

Na wat googelen in een internetcafé had hij ontdekt dat het een nummer was van Thin Lizzy, een rockband uit de jaren zeventig. Nadat hij gisteren geïrriteerd de verbinding verbrak, rinkelde de telefoon opnieuw. Nijdig nam hij op. Hij hoorde echter niet het gehate nummer, maar de zware stem van zijn advocaat. Pas na drie dagen nam de man eindelijk de moeite om terug te bellen. Zijn pleitbezorger adviseerde hem dringend om nogmaals met Fleur te gaan praten omdat er anders een 'dikke kans' was dat Fleur zou proberen de omgangsregeling definitief in te laten trekken. 'Vrouwen zijn daar goed in,' benadrukte de advocaat en Ewoud had daarna voor de zoveelste keer bedacht dat hij een deskundiger en vooral doortastender advocaat moest gaan zoeken. Na dat gesprek ging hij linea recta naar de buurtkroeg en na een paar biertjes met bijhorende kopstoot vertrok hij naar een hip café in het centrum. Daar ontmoette hij een meisje. Suzanne was haar naam. 'Vrienden noemen me Suus,' vertrouwde ze hem na twee biertjes met een veelbetekenende blik toe. Toen het etablissement sloot, ging hij met haar mee naar huis. Ze rommelden wat, maar van seks kwam het niet, daarvoor was hij te lam. Hij bleef niet slapen maar fietste met zijn dronken hoofd naar huis. Daarbij was hij een paar keer lelijk gevallen. Gelukkig bleef het deze keer bij schaafwonden. Vorig jaar was hij na een lange stapavond eens wakker geworden in het ziekenhuis. Passanten hadden hem bewusteloos en met een bloedend hoofd op straat gevonden en de ziekenwagen gebeld. Hij had geen idee wat er gebeurd was en ook in de weken daarna kwam de herinnering niet meer naar boven. Hij bleek een fikse hersenschudding te hebben en moest dagenlang plat in bed blijven liggen.

Sindsdien heeft hij moeite zich te concentreren. Ook is hij soms de tijd even kwijt. Het is dan net alsof iemand een klein stukje uit zijn leven knipt. Een vreemde en ook wel een beetje beangstigende ervaring. Misschien moet hij eens wat minder gaan drinken.

Als zijn baas zou weten van zijn black-outs, zou hij hem vermoedelijk onmiddellijk ontslaan. Zijn collega's bij het fietskoeriersbedrijf zijn een stel sportieve jonge ventjes die hun minachting voor die ouwe loser amper kunnen verbergen. Soms zou Ewoud willen uitschreeuwen wie hij werkelijk is, maar waarschijnlijk zal niemand hem nog geloven. Als hij in de spiegel kijkt, ziet hij het eerlijk gezegd zelf ook niet meer.

6

Lisa

Met een half oor luistert Lisa naar het telefoongesprek dat Wim met Jasja voert. Kort daarvoor had haar echtgenoot nog met de telefoon staan zwaaien toen hij onverwacht de huishoudster aan de lijn kreeg in plaats van een van de onderzoekers uit zijn team, maar toen had Lisa quasi-onverschillig haar schouders opgehaald en zich weer verdiept in het huiswerk van Henry. Wim mag zich best wat meer bemoeien met het reilen en zeilen in het gezin. Ze kijkt naar de rekensommen van haar middelste zoon. Volgend jaar gaat hij naar het voortgezet onderwijs. Waarschijnlijk de havo, maar ze hoopt hem met wat bijles nog te kunnen upgraden naar het vwo. Helaas heeft Henry niet het logische inzicht van Harald, want hoewel haar oudste enorme tekortkomingen heeft op sociaal gebied is het een echte whizzkid. Maar ja, wat heeft hij eraan?

Op de achtergrond hoort ze Wims stem weer.

'Dus je komt voorlopig nog niet terug?'

Lisa spitst haar oren. Gealarmeerd staat ze op en loopt naar haar telefonerende echtgenoot. Vragend kijkt ze hem aan.

'Haar moeder is ziek,' zegt Wim.

Lisa gebaart Wim de telefoon aan haar te geven. Dat doet hij meteen.

'Dag Jasja! Wat hoor ik? Is je moeder ziek?'

Jasja's stem klinkt bibberig. 'Hallo Lisa. Ja, ze is erg ziek.'

Jasja's accent is duidelijker hoorbaar dan anders. Dat is vast omdat ze inmiddels alweer een week bij haar familie in Polen verblijft.

'Wat heeft ze?'

'Darmkanker.'

Lisa fronst haar wenkbrauwen. Dat is wel heel wat anders dan het griepje dat ze verwacht had. 'Wat erg. Kan het behandeld worden?'

'Ja, ze wordt bestraald en daarna wordt ze geopereerd. Een langdurig proces...' Jasja zwijgt. Lisa probeert niet te zuchten. Ze ziet de bui al hangen. 'Wil je nog een tijdje bij je moeder blijven?'

'Ja, eigenlijk wel.'

'Hoe lang heb je nodig?'

'Een maand?' Jasja klinkt aarzelend.

Lisa's hart slaat over.

'Ik weet dat het moeilijk uitkomt daar.'

'Je moeder is belangrijker,' zegt Lisa, hopend dat de teleurstelling niet doorklinkt in haar stem.

'Is het goed?' hoort ze Jasja hoopvol vragen.

'Prima, neem je tijd,' antwoordt Lisa.

Als ze de verbinding verbroken heeft, kijkt ze haar echtgenoot peinzend aan. 'Hoe zit jij de komende maand met je werk?'

'Het gastdocentschap in New York... Weet je nog?' Natuurlijk. Wim had toegestemd in een uitwisselingsproject met een Amerikaanse universiteit. Een leuk uitstapje voor hem, mits thuis alles goed geregeld was, natuurlijk.

'O, dat komt wel heel slecht uit nu...'

'Kun jij vrij nemen?' vraagt Wim onnozel.

Lisa kijkt hem meewarig aan. 'Wat dacht je zelf, Wim?' Ze zucht. 'Ik laat Janine morgen het bemiddelingsbureau wel bellen,' zegt ze snibbig en loopt terug naar Henry, die nog steeds worstelt met zijn rekensommen.

'Zal ik Chinees halen?' vraagt Wim even later, terwijl hij met een schuldbewuste gezichtsuitdrukking om de hoek van de deur kijkt.

'Doe maar,' antwoordt ze zonder op te kijken. Vijf minuten later ziet ze hem met zijn slepende pas over het grindpad naar de garage lopen. Sinds hij een aantal jaren geleden een auto-ongeluk heeft gehad, tilt hij zijn rechterbeen niet goed op. Als het slecht weer is, wordt het erger. Soms loopt hij met een stok, als een oude man.

Ze wendt haar gezicht af en duikt weer in de sommen.

'Waar is Harald eigenlijk?' vraagt ze als ze even later opkijkt en merkt dat het buiten al aan het schemeren is.

Henry haalt zijn schouders op. 'Weet ik toch niet,' mompelt hij.

'Hij zou toch al lang thuis moeten zijn? Hebben we hem gemist? Heeft er iemand gebeld?'

Henry kijkt haar onverschillig aan.

Lisa loopt naar de hal en roept naar boven. 'Franka! Heb jij Harald gezien?' Het blijft stil. Ze roept nog een keer. Nog geen antwoord. Geërgerd rent Lisa de trap op. Franka zit in haar knalroze prinsessenkamer met haar barbiepoppen te spelen en doet verschillende stemmetjes na.

'Franka, waarom geef je geen antwoord als ik je wat vraag?'

Geschrokken kijkt haar jongste op.

Lisa tempert haar volume. 'Heb je Harald gezien, liefje?'

'Harald? Nee, mammie.' Franka gaat verder met haar rollenspel.

Een gevoel van verontrusting bekruipt Lisa. Ze rent de trap weer af en graait in haar tas om in haar agenda het telefoonnummer van de chauffeur van het busje op te zoeken dat Harald altijd vervoert van de middelbare school naar de dagopvang. Sinds hij op een gewone middelbare school zit, heeft Harald een rustige plek nodig om na school bij te komen. Lisa's personal assistent Janine vond na lang zoeken een adres waar ze gespecialiseerd zijn in de opvang van autistische kinderen. Na een gewenningsperiode gedijt Harald goed in de ijzeren routine en structuur die daar heersen. Om te zeggen dat hij er vrienden heeft gemaakt is te veel, maar hij voelt zich er in elk geval beter thuis dan op de middelbare school. Daar wordt hij gezien als een rare freak. Dat doet Lisa pijn, maar ze moet bekennen dat zij misschien wel hetzelfde zou denken als het haar eigen vlees en bloed niet zou zijn. Met zijn ontwijkende ogen, uitdrukkingsloze gezicht en gebogen houding komt hij soms op haar over als een alien die haar alleen maar ziet als iemand die toevallig in hetzelfde huis woont. Als hij al liefde in zich heeft, dan toont hij die in elk geval niet aan haar. Het verschil met Henry en Franka, die beiden gezegend zijn met een vrolijke en sociale aard, is enorm.

Het nummer staat niet in haar agenda dus belt ze Janine, die het in een oogwenk voor haar opgezocht heeft. Lisa beseft dat ze alleen weet dat de chauffeur van het busje van middelbare leeftijd is en grijs haar heeft. De details over Haralds verblijf hoort ze telefonisch van de begeleider van de opvang. De telefoon gaat vijf keer over voordat hij opneemt.

'Goedemiddag, u spreekt met mevrouw Van Ostade.' Het blijft stil aan de andere kant. 'De moeder van Harald,' voegt Lisa eraan toe.

'Dag mevrouw,' mompelt de chauffeur.

'Ik vroeg me af waarom Harald nog niet thuis is.'

'Nog niet thuis? Ik heb hem ruim een uur geleden afgezet.'

'Maar hij is er nog niet!'

'Meent u dat?'

'U denkt toch niet dat ik daar grappen over zou maken,' zegt Lisa boos.

De man zwijgt even. 'Ik moest wel een andere route nemen omdat er in het dorp een wegafzetting was. Ik heb hem op de hoek van de hoofdstraat afgezet en hem uitgelegd hoe hij moest lopen. Ik dacht dat het geen kwaad kon.'

'Dat kon het dus wel,' zegt Lisa nijdig. Deze man zou toch moeten inzien dat je zoiets niet doet met een autistisch kind. 'Ik kom hier later zeker nog op terug. Maar nu ga ik hem eerst zoeken.'

'Succes,' hoort ze de man nog mompelen voordat ze de verbinding verbreekt.

'Henry en Franka, hier komen. We moeten Harald zoeken. Hij is door het busje aan de hoofdstraat afgezet en is nog steeds niet thuis.'

Henry kijkt geërgerd op van zijn huiswerk. 'Maar mam, ik moet mijn sommen nog maken. Harald komt heus wel terug.'

'Dat weet ik nog niet zo zeker,' zegt Lisa terwijl de ernst van de situatie langzaam tot haar doordringt. Altijd als het vaste patroon van Harald doorbroken wordt, raakt hij van slag. Als hij maar niet in paniek is geraakt en is gaan ronddwalen. Of zich verstopt heeft… 'Laat hem alsjeblieft gewoon ergens met zijn DS op een bankje zitten,' smeekt Lisa zacht. Ze grist de jassen van de kinderen van de kapstok.

'Kom op, kinderen. Jassen aan.'

Boos rukt Henry zijn jas uit haar handen. 'Wat ik moet doen is ook belangrijk, hoor, mama.' Franka staart beteuterd voor zich uit.

'Geen gezeur nu. We moeten gaan zoeken. Franka, jas aan. Nu!' Gelukkig hoort ze het lage gebrom van de BMW van Wim op de oprit. Ze rukt de voordeur open en gebaart wild naar haar echtgenoot. Met een verbaasd gezicht opent hij het raam.

'Harald is weg. We moeten zoeken! Jij en Henry nemen het pad langs de bosrand, dan lopen Franka en ik langs de weg. Henry legt het wel uit.' Lisa pakt Franka bij de hand en trekt haar mee naar buiten.

7

Anna

Anna's hoofd bonkt. Op de wekker is het 10.00 uur. Het is lang geleden dat ze zo laat wakker is geworden op een doordeweekse dag. Gisteravond heeft ze haar terugkomst in Nederland uitbundig gevierd met haar zus Maria en haar echtgenoot Laurens. Ze dronken champagne en wijn en op een gegeven moment was Maria, overduidelijk aangeschoten, begonnen vragen te stellen over de gezamenlijke studietijd van Anna en Laurens aan de Technische Universiteit. Een onderwerp dat Anna altijd zoveel mogelijk vermeed. Zij en Laurens hadden de lieve, maar onzekere Maria namelijk nooit ingelicht over hun korte affaire destijds. Niet relevant, vond Anna, die toen al na een paar weken had besloten dat een liefdesrelatie niet de ideale vorm was voor de hevige strijd die ze voerde met de even ambitieuze Laurens. In het besef dat je elkaar in een relatie moet aanvullen in plaats van beconcurreren, verbrak Anna de prille verhouding. Ze gingen als vrienden uit elkaar en waren dat altijd gebleven. De liefde voor de architectuur en het respect voor elkaars talent bonden hen.

Laurens en Maria hadden elkaar ontmoet op een feestje in Anna's studentenhuis. Het bleek liefde op het eerste gezicht. Ze waren een prachtig koppel: de knappe, zelfverzekerde, donkere Laurens en de haast doorschijnende, fragiele blonde schoonheid van Maria. Zonder met elkaar te overleggen besloten Anna en Laurens intuïtief om te zwijgen over hun korte gezamenlijke voorgeschiedenis. Naarmate de tijd verstreek begon het geheimhouden echter steeds meer op Anna te drukken. Als een onschuldig geheimpje na jaren alsnog uitkomt, lijkt het namelijk veel belangrijker dan het aanvankelijk ooit geweest is. Om verder vragen te voorkomen, wendde Anna hoofdpijn voor en had ze de twee tortelduifjes samen op de bank achtergelaten.

Eenmaal in bed in de logeerkamer kon ze de slaap niet vatten. Haar overwerkte hoofd zat te vol met grote plannen en onverwerkte gebeurtenissen. Na een halfuur woelen stond ze op en ging zonder het licht aan te doen naar de badkamer om een glaasje water te halen. Vanaf de overloop viel haar blik op de open deur van de huiskamer, waaruit licht viel. Haar adem stokte. Snel doorlopen, Anna, sprak ze zichzelf toe, maar het was onmogelijk om haar ogen los te maken van het gespierde naakte lichaam van Laurens. Languit lag hij op de bank. De kleine gestalte van Maria zat eveneens naakt boven op hem, rustig bewegend, zijn handen op haar billen. Zijn ogen waren dicht, een ontspannen, tevreden glimlach sierde zijn normaal wat norse gezicht. Exact op het moment dat Anna beschaamd verder wilde lopen, opende hij zijn ogen en keek naar haar. Het was alsof hij wist dat ze stond toe te kijken. Met gloeiende wangen dook Anna weg. De rest van de nacht had ze liggen piekeren. Had hij haar echt gezien? Zou hij denken dat ze expres gekeken had? Hij zou het toch niet tegen Maria zeggen? Wat zou haar zus daar wel niet van denken? Pas tegen de dageraad viel ze in een onrustige slaap.

Anna plenst water in haar gezicht. Het liefst zou ze zonder afscheid te nemen het huis uitsluipen, maar dat is geen optie. Het is hoog tijd om een eigen appartement te zoeken, beseft ze, want met dit soort taferelen wil ze echt niet meer geconfronteerd worden. Als ze een autoportier hoort dichtslaan en het geluid van de motor langzaam wegsterft, sluipt Anna de trap af. In de keuken is Maria de ontbijttafel aan het afruimen.

'Goedemorgen, lieverd,' zegt ze met een stralend gezicht. Anna haalt opgelucht adem en geeft haar zus een zoen op haar wang.

'Heb je goed geslapen?'

'Niet zo eigenlijk. Ik heb nog steeds een beetje hoofdpijn.'

'Neem een pilletje, daar knap je van op.' Maria grabbelt in haar handtas en gooit Anna een strip paracetamol toe. Anna schenkt een groot glas vruchtensap in en slikt het pilletje door.

'Ik ga vandaag op huizenjacht,' zegt Anna als ze een boterham heeft weggewerkt.

'Ga je ons nu al weer verlaten?' vraagt Maria zacht.

41

Anna knikt. 'Ik ben jullie heel dankbaar dat ik altijd bij jullie mag logeren, maar het is beter als ik weer een eigen plek heb.'

Maria glimlacht begripvol. 'Natuurlijk, zusje, ik begrijp het wel. Je moet je eigen leven leiden.'

Een uur later meldt Anna zich op de Amsterdamse vestiging van Franks architectenbureau. Frank wacht haar persoonlijk op. Zijn ogen glanzen. 'Kom mee naar mijn kantoor. Ik heb een geweldige opdracht binnengesleept. Ik heb de allerbeste mensen nodig en daarom wil ik dat je meewerkt.' Enthousiast vertelt hij haar over het gloednieuwe museum voor moderne kunst dat FVA in Grenoble mag gaan bouwen. 'Dit is een project waarmee we ons op het hoogste niveau kunnen presenteren. De ogen van de hele wereld zullen op ons gericht zijn. Een museum voor moderne kunst, Anna! Dat is pas echt een geweldige, creatieve uitdaging. Heel wat anders dan een bank of kantoorgebouw,' benadrukt hij. Frank kijkt haar aan als een blije jonge hond.

Anna voelt zich vereerd. Het is inderdaad fantastisch om een museum te mogen ontwerpen, maar tegelijkertijd heeft ze zich ook wel verheugd op een wat langer verblijf in Nederland.

Frank lijkt haar gedachten te raden. 'Je hoeft niet continu op locatie te zijn. Ik heb je hulp vooral nodig in de schetsfase. Je kunt vanaf hier veel doen. Af en toe kom je een weekje naar Grenoble. Dat moet voldoende zijn.' Franks diepbruine ogen schitteren.

Anna knikt. 'Goed. Ik doe mee.'

Breed glimlachend pakt hij haar handen. 'We gaan deze klus samen klaren, Anna. Dit is echt een topopdracht.'

De uren daarna besteden ze aan het doorspreken van de details. Volgende week maandag zal Anna er voor het eerst heen gaan om de opdrachtgevers te ontmoeten. Het zou mooi zijn als ze daarvoor al een appartement heeft gevonden.

Later die dag pluist ze de advertenties uit. Ze zoekt op websites van makelaars en stuurt haar complete adressenbestand een mailtje met de vraag of iemand een huurappartement voor haar weet.

De volgende dag rijdt Anna met wat aanbiedingen van makelaars door de stad. De beschreven appartementen zijn zonder uitzondering te klein, te duur, te slecht onderhouden of bevinden zich in een buurt waar ze 's nachts niet alleen over straat zou durven. Ze wordt er een beetje moedeloos van. Als ze tegen drieën weer op kantoor komt, ziet ze een mailtje van Laurens in haar inbox. Hij weet een appartement voor haar. Een beetje nerveus belt ze hem, maar zijn zorgeloze toon stelt haar meteen gerust. Ze moet zich vergist hebben, hij heeft helemaal niet gezien dat ze naar hem keek. Langzaam ontspant ze weer. Nadat ze hem heeft bijgepraat over haar nieuwe opdracht geeft hij haar het telefoonnummer van een kennis van zijn moeder. De dame woont in een villa aan de rand van de stad en verhuurt appartementen om het onderhoud van het huis te kunnen blijven betalen.

Anna kan haar ogen niet geloven als ze rond vijven de oprijlaan oprijdt. De villa is mooier dan ze had durven dromen. Het fraaie jugendstil-huis wordt omringd door een groot gazon waarop standbeelden staan. Ze herkent Apollo met pijl en boog, de wellustige Venus en Dionysus met een druiventros. Op verschillende plekken ziet Anna afgebladderde verf op de muren en onkruid tussen de struiken, maar dat doet niets af aan het blije gevoel dat zich van haar meester maakt. Het zou prachtig zijn als ze hier zou kunnen wonen. Nadat Anna een paar keer heeft aangebeld, opent een rijzige dame met een streng gezicht en het haar in een knot de zware houten deur. Hautain kijkt ze Anna aan.

'Goedendag, mevrouw. Ik had gebeld over het appartement.'

'Aha, de architecte. Komt u binnen, mevrouw.'

De deur zwaait open en Anna loopt de koele, donkere gang in. Er liggen prachtige authentieke vloertegels in een zich herhalend motief. Voor zich ziet ze een brede trap en een fraaie trapleuning met bloemfiguratie uit de jugendstil-periode. Ze houdt haar adem in. Dit is onwaarschijnlijk mooi.

De rijzige dame steekt haar hand uit. 'Barones de Clerck-Rotagny, aangenaam kennis met u te maken.'

'Anna de Wit.'

'Mijn huurder, de heer Van Haaren, een bovenste beste man, een chemicus, heeft een betrekking aanvaard in Den Haag en heeft daarom zijn appartement verlaten. U hebt mijn adres van een zoon van mevrouw Van Daalen gekregen, heb ik begrepen?'

Anna knikt. 'Ja, van Laurens. Hij is getrouwd met mijn zus Maria.'

'Ik heb haar geloof ik wel eens ontmoet op een feestje. Charmant kind.' De barones pauzeert even en kijkt haar onderzoekend aan. 'Ik heb begrepen dat u voor de beroemde architect Frank Verhulst werkt?'

'Bij FVA inderdaad,' beaamt Anna.

De barones knikt goedkeurend. 'Dan zou u me misschien van advies kunnen dienen bij het opknappen van het huis.'

'Dat zou misschien wel kunnen,' antwoordt Anna, die niet negatief over wil komen. Ze maakt wel vaker mee dat mensen die om advies vragen, eigenlijk een complete restauratie van haar verlangen.

'Laten we dan het appartement maar eens gaan bekijken,' zegt de barones.

Anna volgt haar naar de tweede verdieping. Op de vloer ligt een donker, velours tapijt. De statige dame opent de tweede deur aan de rechterkant. Het zonlicht stroomt de donkere gang in. Anna ziet een ruim, hoog vertrek met grote ramen, fraaie ornamenten en een sierlijk balkon dat uitkijkt op de beeldentuin. Verrukt stapt ze de kamer in. Perfect, zegt ze zacht tegen zichzelf.

'Dit is de woonkamer. En hier hebben we de slaapkamer met daarachter de badkamer. Koken kunt u beneden in de gezamenlijke keuken.'

Ademloos kijkt Anna rond in het woonvertrek, de ruime slaapkamer en de badkamer met ligbad en douche.

De barones praat ondertussen door. 'Ik verhuur vier appartementen. We hebben nog een arts uit Italië, een onderzoeker aan de universiteit en een leraar Duits. We respecteren elkaars privacy.'

'Ik neem het,' zegt Anna.

De barones trekt haar dunne geëpileerde wenkbrauwen op. 'Weet u dat nu al?'

'Als de huur niet te hoog is,' voegt Anna er snel aan toe.

Met het getekende huurcontract in haar zak racet Anna terug naar het werk. Daar belt ze een verhuisbedrijf, dat haar spullen uit de opslag zal halen en naar haar nieuwe adres zal brengen. Als alles loopt zoals gepland kan ze er dit weekend al haar eerste nacht doorbrengen.

8

Het schuurt vanbinnen. Het is alsof er op die fatale dag duizenden kleine gravelsteentjes met een trechter in mijn keel zijn gegoten. Sindsdien hebben die kleine duivels zich met hoge snelheid door mijn lichaam verspreid en krassen, knerpen en knisperen erop los. Ze zitten op mijn stembanden als ik wil spreken, in mijn vingertoppen als ik wil schrijven, in mijn endeldarm als ik wil poepen. Maar vooral bezorgen ze me een irritant gevoel achter mijn oogkassen, dat al mijn gedachten overstemt.

Ik verlang zo naar rust.

Ik weet hoe ik het schuren kan stoppen, maar het staat me tegen om iemand zomaar te doden. Ik wil niet te boek komen te staan als een banale, impulsieve moordenaar. Een mens kan binnen een seconde dood zijn. Maar wat heb je daaraan? Niets. Toch?

Ik ga anders te werk. Eerst een beetje treiteren, dan de

druk geleidelijk opvoeren, met als ultiem hoogtepunt de daad op zich. Langzaam en weloverwogen.

Mijn daad zal gelden als een statement. Als een geraffi-neerde, doordachte actie waar mensen stiekem respect voor hebben. Mij houden ze niet voor de gek. De mens is veel zwarter vanbinnen dan de meeste onnozelen willen geloven. Als je maar op de juiste knop drukt, verander je de bemin-nelijkste persoon in een meedogenloze moordenaar.

9

Ewoud

Getergd door een helse rugpijn hijst Ewoud zich weer op zijn mountainbike. Hij heeft zojuist een pakketje afgeleverd bij een statige villa aan de rand van de stad en ploegt nu door het grindpad terug naar de doorgaande weg. Zijn volgende adres ligt vijf kilometer verderop in het centrum. Niet alleen zijn rug doet pijn, ook zijn verzuurde benen voelen als lood en hij is nog niet eens halverwege zijn werkdag. Gisteren informeerde zijn baas, een kerel van een jaar of tien jonger dan hij, quasi-nonchalant of het werktempo niet te hoog lag voor hem. Ewoud, die alarmbellen hoorde afgaan, antwoordde breed glimlachend dat het juist f-a-n-t-a-s-t-i-s-c-h ging en dat hij iedere dag genoot van de lichaamsbeweging en de frisse buitenlucht. Zijn baas keek hem even meewarig aan, mompelde iets als 'oké dan' en ging weer verder met het maken van zijn planning.

's Avonds kneedde Suus zijn op knappen staande rugspieren. Hij schreeuwde het uit.

'Je moet naar een fysiotherapeut,' zei ze en ze schreef een naam en een telefoonnummer voor hem op. Daarna draaide ze hem om, klom boven op hem en hij hoefde niets anders meer te doen dan genieten.

Lieve meid, die Suus. Ze kan goed koken, is zorgzaam, lekker in bed. Eerlijk gezegd gaat het een beetje te goed. Daar moet hij eens over nadenken.

In een bedaard tempo fietst Ewoud door de villawijk terug richting het centrum. Hij bekijkt de enorme huizen. Fleur en hij hadden het destijds samen ook aardig voor elkaar. Ze woonden in een aardige bungalow in een rustig dorp op zo'n vijftien kilometer van de stad. Hij tuinierde graag en Fleur had het huis vanbinnen omgetoverd tot zo'n interieur uit een van die dure woonbladen. Fleur en Anouk wonen er nog steeds. Ewoud heeft begrepen dat de nieuwe vriend van Fleur, een piloot, bij hen is ingetrokken. Hij is ervan overtuigd dat ze met die patser wel vaker dan één keer per maand seks heeft.

Ewoud kijkt op zijn horloge en schakelt een tandje bij. Door het extra aanzetten op de pedalen schiet het weer in zijn rug. 'Verdomme,' vloekt hij. Het voelt alsof iemand met een mes in zijn rug zit te peuteren. Hij graait naar het busje pijnstillers in de zakken van zijn fietstrui en slikt er twee tegelijk in. Met een slokje uit zijn bidon spoelt hij ze weg. De via internet gekochte pijnstillers zijn nieuw. Eigenlijk zijn ze bedoeld voor mensen met reuma, maar ze werken ook bij hem als een tierelier. Wanneer hij het pakket in het centrum aflevert, is de rugpijn helemaal verdwenen. Als herboren springt hij op zijn fiets en racet terug naar kantoor om te kijken of er iets nieuws voor hem ligt.

Wanneer hij na het werk uitgeput op de bank ligt, komen de pijnscheuten in alle hevigheid terug. Onmiddellijk verdooft hij zich opnieuw met twee pillen, die hij inneemt met een paar slokken bier. Hij steekt een sigaret op en pakt de telefoon.

'Met Suzanne.'

'Hoi, met Ewoud.'

'Dag liefje. Bel je om af te spreken? Zal ik naar je toe komen voor weer zo'n heerlijke massage?' Haar stem klinkt gretig.

Heel even twijfelt hij, hij zou best... Maar dan beseft hij weer wat hem te doen staat. 'Suus, ik moet je wat vertellen.' Het wordt doodstil aan de andere kant van de lijn. Ewoud slikt even. 'Wat is er dan?' zegt ze. Haar stem klinkt plotseling heel anders. Meisjesachtig. Onzeker.

'Ik ben niet helemaal eerlijk tegen je geweest.'

'O?'

'Ik ben namelijk getrouwd.' Hij pauzeert even om de woorden goed tot haar door te laten dringen. 'En nu heeft mijn vrouw ontdekt dat ik iets met jou heb. Als ik niet onmiddellijk stop, gaat ze van me scheiden.'

Het is stil aan de andere kant.

'Het spijt me, Suus,' zegt hij. Diep vanbinnen voelt hij medelijden met haar. Hij neemt een flinke hijs van zijn sigaret en kan een hoestbui net onderdrukken. 'Ik ben een klootzak. Jij verdient beter.'

Wanneer ze weer begint te praten, klinkt haar stem bibberig. 'Ik wou dat je me dit eerder had verteld.'

'Sorry, Suus.'

Er volgt een ongemakkelijke stilte.

'Je besluit staat vast?'

Ewoud verbaast zich over de gevoelens die ze blijkbaar voor hem koestert. Zou ze werkelijk denken dat een getrouwde man na een paar keer seks zijn gezin verlaat?

'Ik heb een gezin, Suus. Ik kan het me niet veroorloven om...'

'Stop maar. Ik begrijp het,' klinkt het zwakjes aan de andere kant.

'Veel geluk, Suus.'

'Dag, Ewoud.'

Meteen zodra hij de verbinding verbreekt, gaat de telefoon over. Verdomme, hij had zijn nummer toch afgeschermd. Suus weet toch helemaal niet... Als hij opneemt, hoort hij de vertrouwde tekst weer.

I've gotta leave this town
I've gotta leave this town behind
I've gotta leave this town tonight

'Laat me met rust, klootzak!' schreeuwt hij voordat hij de telefoon met kracht tegen de muur smijt.

10

Lisa

Geïrriteerd kijkt Lisa de agent aan. 'Ik heb gisteren toch al gezegd dat hij Asperger heeft? Dat heeft invloed op zijn gedrag. Hij kijkt mensen niet in de ogen. Toont weinig emotie. Houdt van structuur en regelmaat. Als er onverwachte dingen gebeuren, weet hij zich geen raad.' Lisa krijgt weer kippenvel als ze terugdenkt aan gisteren. Na een uur tevergeefs zoeken naar Harald hadden ze de politie ingeschakeld. De dorpsagent en zijn assistent zochten lang in het dorp en in de omringende bossen, samen met wat opgetrommelde buurtbewoners. Op een gegeven moment waren er zelfs politiehonden aan te pas gekomen. Toen ze uiteindelijk naar huis ging om de uitgeputte Henry en Franka in bed te stoppen, trof ze daar Harald aan, zittend aan het bureau in zijn slaapkamer en geconcentreerd werkend aan een nieuw legobouwwerk. Een kasteel deze keer. Toen ze hem met betraande ogen omhelsde, keek hij haar niet-begrijpend

53

aan. Later die avond vertelde hij dat hij nadat het busje hem had afgezet op een bankje was gaan zitten in de veronderstelling dat Jasja hem wel op zou komen halen. De uitstapplek die niet in zijn dagelijkse routine zat, had hem in de war gebracht. Toen dat niet gebeurde, wist hij niet wat te doen en net toen hij een beetje in paniek begon te raken, stopte er een bestelbusje. De chauffeur kwam hem vaag bekend voor en daarom dacht hij dat het goed was om in de auto te stappen, zodat die meneer hem naar huis zou kunnen brengen. Dat gebeurde niet. De man nam Harald mee naar een plek waar hij chips en cola kreeg en waar ze samen zijn favoriete computerspelletje hadden gespeeld. Daarna werd hij met de auto weer keurig thuis afgezet. Harald was meteen naar zijn kamer gegaan om verder te bouwen aan zijn legokasteel.

'Iemand moet die man toch gezien hebben,' vraagt Lisa zich hardop af, terwijl ze oogcontact met de agent zoekt. Hij kijkt echter nieuwsgierig rond in de ruime keuken. Lisa ziet dat zijn ogen begerig blijven hangen bij het gigantische Boretti-fornuis. 'Meneer?' probeert Lisa zijn aandacht er weer bij te krijgen.

De ogen van de agent schieten betrapt terug naar Lisa. 'Het zou natuurlijk ook een buurtbewoner kunnen zijn geweest die niets slechts in de zin had,' probeert de agent.

Lisa haalt haar schouders op. 'Zoiets doe je toch niet. Dat vraag je toch eerst aan de ouders?'

'Dat zou je wel denken, ja,' zegt Wim, die sinds gisteravond opvallend bleek is. Geen wonder, want dat ze weinig grip hebben op hun oudste zoon is gisteren wel duidelijk geworden.

De agent bladert in zijn boekje. 'Al met al blijft het een raar verhaal. Even samenvatten wat we weten tot nu toe. De jongen, Harald van dertien jaar oud, is gisteren vermoedelijk rond halfzes achter in een wit bestelbusje gestapt. Uit de beschrijvingen van Harald maken we op dat het gaat om het merk Citroën.'

Lisa denkt terug aan het moment waarop haar zoon verbazingwekkend gedetailleerd het logo van het automerk had nagetekend. In de beschrijving van de man die hem had meegenomen was hij helaas minder precies.

De agent gaat door: 'De chauffeur van het bestelbusje was een man van gemiddeld postuur van rond de veertig jaar, met donkerblond haar en een zwarte trui aan. Kleur ogen onbekend. Harald denkt dat hij de man eerder gezien heeft, maar weet niet in welke context dat was. Ze hebben in een huis wat gegeten en gedronken en World of Warcraft gespeeld. Dat huis is een rijtjeshuis in de bebouwde kom. Harald heeft in het bestelbusje op zijn spelcomputertje gespeeld en daardoor niet opgelet welke richting hij uitging. Hij denkt dat de rit ongeveer een halfuur duurde. Rond negen uur is hij met het witte bestelbusje weer afgezet, op zo'n honderd meter afstand van het ouderlijk huis.'

De agent kijkt Lisa en Wim beurtelings aan. 'Met deze informatie zullen we het voorlopig moeten doen. We gaan navragen in de buurt of mensen meer kunnen vertellen over Harald of over de auto. Maar ik moet er wel meteen bij zeggen dat we, omdat er niets ernstigs is gebeurd, niet de middelen ter beschikking stellen om dit grootschalig aan te pakken.'

'Niets ernstigs? In feite is dit toch gewoon een ontvoering,' zegt Wim bozig.

De agent knikt. 'Maar dan een waarbij het slachtoffer na drieënhalf uur weer gewoon thuis is afgezet en er geen sprake is van geweld, misbruik of het vragen van losgeld.' Hij haalt zijn schouders op. 'Ik ben het natuurlijk met u eens dat dit soort dingen absoluut niet mogen gebeuren, maar vanuit wettelijk oogpunt kan ik er niet zoveel mee, ziet u.'

Lisa rilt. 'Maar waarom doet iemand zoiets?'

De agent kijkt haar ernstig aan. 'Misschien om u bang te maken of een waarschuwing te geven. Maar nogmaals, ik heb het sterke vermoeden dat dit ook wel eens veel onschuldiger kan blijken te zijn. Het kan een goedbedoelde actie zijn van iemand die hem toevallig tegenkwam. Hier op het platteland letten we nog een beetje op elkaars kinderen. Misschien was de intentie niet slecht.' De agent staat op en steekt zijn hand uit naar Lisa. 'Ik verzeker u dat we zullen uitzoeken wie er hier in de omgeving een witte bestelbus hebben. We doen ons best, mevrouw en meneer Van Ostade.'

Dan richt hij zich tot Harald, die al die tijd in een hoekje heeft zitten spelen op zijn spelcomputertje. 'Jongeman, in het vervolg niet meer met vreemden meegaan!'

Harald kijkt niet op of om.

'Harald, geef even antwoord,' roept Lisa bestraffend.

Met een afwezige blik kijkt Harald op.

'Zeg even dag.'

'Dag, meneer agent,' zegt Harald, terwijl hij alweer in zijn computerspelletje verdiept is.

11

Anna

Wanneer Anna de deur van haar nieuwe appartement opent, ziet ze meteen de gloednieuwe vogelkooi staan. Er zit een kleine papegaai in met een rood kopje, groen lijfje en blauwe staart. Hij kijkt haar nieuwsgierig aan met heldere, zwarte kraaloogjes.

'Dag, vogeltje. Wat doe jij hier?' zegt ze, terwijl ze het briefje pakt dat aan de kooi bevestigd zit. Ze herkent het handschrift van haar zus meteen. 'Voor een beetje gezelschap in je prachtige, nieuwe woning. Liefs, Maria en Laurens.'

Anna schudt haar hoofd. Het is natuurlijk ontzettend lief bedoeld, maar veel zal ze niet thuis zijn. Zeker niet met al die internationale projecten die op stapel staan. Wie moet het beestje dan eten geven? De barones soms?

Ze hoort geluiden op de gang. Giechelend komen Laurens en Maria binnenlopen.

'En?' vraagt Maria blij.

'Goh, een vogel...' zegt Anna. 'Hoe heet hij eigenlijk?'

'Dat mag jij verzinnen.'

'Het is een agapornis,' zegt Laurens. 'Ofwel een lovebird. Eigenlijk horen ze met zijn tweeën te zijn.'

'Nou, dan zal hij het zwaar krijgen bij mij,' mompelt Anna.

Laurens negeert haar opmerking en praat enthousiast verder: 'Het zijn prachtige beestjes. Als je een beetje geduld hebt, kun je ze tam maken en ermee op je schouder rondlopen. Of je kunt ze vrij in je kamer laten rondvliegen. Een beetje bewegingsvrijheid is natuurlijk sowieso goed voor een vogel.'

Anna moet aan vogelpoep denken.

'Hoe ga je hem noemen?' wil Maria weten.

Anna haalt haar schouders op.

'Chico, misschien,' oppert Laurens.

'Nee joh, zo heten al die dwergpapegaaien al,' reageert Anna. 'Is het een meneer of een mevrouw?'

'Bij de dierenwinkel dachten ze dat het een mannetje was, maar honderd procent zeker wisten ze het niet.'

'Een mannetje... Hm. Wat dachten jullie van Sjaak?' oppert Anna droogjes.

Maria proest het uit. 'Typisch zo'n naam die alleen jij kunt bedenken,' zegt ze giechelend.

'Welkom in mijn huis en leven, Sjaak,' zegt Anna quasi-officieel.

Op de gang klinkt een geluid. Glimlachend draait Anna zich om en ze ziet een aantrekkelijke man van een jaar of vijfendertig in de deuropening staan. Onbewust recht ze haar rug en houdt ze haar buik in.

'Bent u de nieuwe bewoonster?' vraagt hij met een zwaar buitenlands accent.

Anna beseft onmiddellijk dat dit de Italiaanse arts moet zijn over wie de barones het had.

'Inderdaad. Anna de Wit.'

'Emilio Richelli.' Hij glimlacht en laat een rijtje regelmatige, witte tanden zien, terwijl hij Anna, Maria en Laurens een stevige handdruk geeft. 'Welkom in ons mooie huis!'

'Dank je,' antwoordt Anna schutterig. Even weet ze niet wat te zeggen. 'Ik zal je hier wel vaker tegenkomen, vermoed ik.'

'Dat hoop ik zeer zeker,' zegt hij, terwijl hij haar glimlachend aankijkt.

Zijn ogen zijn groen, net als de hare, constateert Anna.

Emilio kijkt naar de lange rij onuitgepakte dozen. Hij lacht verontschuldigend. 'Ik heb helaas geen tijd om mee te helpen. Ik heb een dringende afspraak. Maar ik wens jullie veel succes. Ciao.'

'Ciao!' roepen Anna, Maria en Laurens in koor.

Als Anna zich omdraait, kijkt Maria haar betekenisvol aan.

'Wat kijk je nou?'

'Mooie man, toch?'

Anna haalt nonchalant haar schouders op.

'Anna, zeg, doe normaal, deze man is echt indrukwekkend, hoor. Is het die arts?'

Anna knikt.

'Heel interessant!' Maria knipoogt naar Laurens.

Anna zucht. 'Hij woont bij me in huis, Maria. Verboden waren, dus!'

Maria haalt haar schouders op. 'Ik zie niet in waarom dat verboden waren zouden moeten zijn.'

'Nadenken, lieve zus. Blijven nadenken! En bovendien: we zijn hier om te werken, stelletje bemoeiallen. Als jullie een beetje doorwerken, dan neem ik jullie vanavond mee uit eten!'

'Daar doe ik het voor,' zegt Laurens lachend.

Anna begint een doos uit te pakken. Het heeft geen enkele zin om tegen haar familieleden te zeggen dat ze niet op zoek is naar een relatie. Ze blijven toch proberen haar te koppelen. Terwijl ze probeert te bedenken waar al haar spullen moeten komen te staan, verbaast ze zich. Wat een hoop troep heeft ze in de loop der jaren verzameld. Als ze de zoveelste doos opent, ontdekt ze een ingelijste foto van haar ouders, weggestopt tussen een stapeltje handdoeken. Een koude rilling loopt over haar rug. Snel kijkt ze om zich heen of Maria in de buurt is en bergt hem dan op in een kast in de slaapkamer. Ze gaat op het bed zitten en denkt na. Hoe zou het met mama gaan? Heel af en toe hoort ze via Maria wel eens wat. Anna weet van haar zus dat haar moeder tegenwoordig in een verzorgingsflat woont met uitzicht over zee. Heel even stelt ze zich haar moeder voor als een serene oude vrouw, die dagenlang naar de golven kijkt terwijl ze mild terugblikt op haar leven. Maar onmiddellijk beseft ze dat het waarschijnlijker is dat haar moeder het verzorgend personeel loopt te koeioneren en het hoogste woord voert bij de bingoavonden.

Het is niet snel goed voor mama en dat laat ze graag aan de wereld weten. Haar moeder is namelijk een beroepsklager, van het soort dat zich altijd benadeeld voelt en daarom ingezonden brieven stuurt naar kranten over de triviaalste zaken. Anna meent zich te herinneren dat mama nog niet zo was toen papa nog leefde, maar dat ze in de jaren na zijn overlijden langzaam veranderde in een bazige, ontevreden vrouw. De laatste keer dat Anna haar sprak, is zo'n vijf jaar geleden. Haar moeder belde haar op met de mededeling dat ze besloten had om geen dingen meer tegen haar zin te doen en daarom in overleg met haar therapeut had besloten om het contact met Anna 'op de waakvlam' te zetten, zoals ze dat noemde. Toen Anna van Maria hoorde dat zij nog wel in de gratie was, schreef ze een brief aan haar moeder waarin ze haar meedeelde dat ze waakvlamcontact wel wat minnetjes vond en dat ze daarom had besloten het contact helemaal te verbreken. Dat besluit deed haar pijn in het diepst van haar hart, maar vanaf die dag voelde ze zich eindelijk bevrijd van de zware last die jaren op haar gedrukt had.

Wanneer ze door de donkere straten van de villawijk terugfietst van het gezellige etentje met Maria en Laurens, voelt ze zich een beetje melancholisch. Soms is ze een beetje jaloers op de vanzelfsprekendheid tussen Maria en Laurens. Het is zo'n goed stel. Ze zijn voor elkaar gemaakt. Volgend jaar wordt ze dertig. Zou zij ooit ook nog een soulmate tegenkomen?

Als ze de villa ontwaart, kan ze een tevreden glimlach niet bedwingen. Wat een geweldige plek om te wonen! Op de oprijlaan van de villa knerpen de kleine steentjes onder haar wielen. Het trapt moeizaam. Ze constateert dat alleen op de benedenverdieping bij de barones nog licht brandt. Haar medebewoners liggen zo te zien allemaal al onder de wol of zijn er niet. Vandaag heeft ze de handen geschud van Anja Jansen en Carlo van Houten. Anja is een onopvallende, een beetje schichtige vrouw van eind twintig die bezig is met haar promotieonderzoek aan de universiteit. Carlo is een wat uitgebluste, vroegtijdig kale leraar die Duits geeft op het naburige vmbo. Een ondankbare taak, lijkt Anna. Ze zet haar fiets in de houten fietsenstalling achter de villa en probeert welke sleutel van haar nieuwe sleutelbos op de achterdeur past. Bij de derde poging gaat de zware houten deur pas open. Een klein halletje brengt haar naar de grote keuken, waar vijf koelkasten keurig op een rijtje staan. Anna's zwarte Smeg uiterst links doet de andere vier verbleken. Ze vraagt zich af welke van Emilio is. Wat zou er in zijn koelkast staan? Verse pasta, olijven en pesto? Ze glimlacht om haar clichématige inschatting van haar Italiaanse huisgenoot en overweegt heel even de koelkasten open te trekken om het te controleren, maar verwerpt het idee onmiddellijk weer. Anna opent haar eigen koelkast, neemt een pak melk en gaat zitten op een van de niet bij elkaar passende keukenstoelen. Ze kijkt om zich heen. De zwart-witte vloertegels hebben de tand des tijds goed doorstaan, maar de rest van de keuken is dringend aan restauratie toe. Alles is gammel of toch minstens sterk verouderd, net als de rest van het huis. Toch bevalt de sfeer haar. Het huis heeft een duidelijk eigen karakter. Het ademt. Leeft.

Verrast. In elk hoekje is iets te ontdekken: een subtiel detail, een prachtig glas-in-loodraam of een onverwacht doorkijkje naar de tuin. Het huis voelt als een veilig omhulsel. Het is haar huis. Nu al. Als ze de vrije hand zou krijgen, zou ze het prachtig kunnen restaureren.

Anna neemt nog een slok melk en staat op. Het is al laat, morgenvroeg vliegt ze naar Grenoble voor de kennismaking met de opdrachtgevers voor het museum. Zachtjes loopt ze de trap op in het in slaap verzonken huis. Ondertussen raakt ze de perfect gesmede bloemfiguren van de trapleuning liefkozend aan.

Als ze haar kamer binnenkomt, heeft ze niet meteen in de gaten dat er iets mis is. Ze is nog te zeer onder de indruk van het huis waar ze nu woont. De ornamenten aan het plafond, de sierlijke gietijzeren spijlen van het balkon die vrouwenfiguren voorstellen. Alles is prachtig. Dan valt haar oog op de vogelkooi, die ze op een tafeltje voor het raam heeft gezet.

'Hé Sjaak, beste kerel, jij bent er ook nog,' zegt ze. Ze stapt dichterbij om te kijken of het beestje nog voer of water nodig heeft, maar bevriest halverwege in haar bewegingen. Een ijskoud gevoel trekt vanuit haar nek en schouders door haar lichaam. Sjaaks lijfje ligt in de kooi, maar zijn kopje staat rechtop in het voederbakje. Netjes op een cocktailprikker gespietst.

12

Ewoud

Het liefst had hij helemaal geen nieuwe telefoon gekocht, maar Ewoud besefte al snel dat hij bereikbaar moet blijven voor Anouk. Als zijn kleine meid hem nodig heeft, moet ze hem kunnen bellen. Dat staat buiten kijf. Hij heeft haar nu al een paar weken niet meer gezien. Weken waarin Fleur ongestoord haar gif kon verspreiden. Kostbare weken waarin hij zichzelf niet kon verdedigen. Dit mag niet te lang duren, weet hij. Hij zal zich beter moeten leren beheersen en zijn doel voor ogen houden: contact met Anouk. Al is het maar eens in de paar weken.

Bij het bestuderen van de nieuwste modellen in de hippe telefoonwinkel, ontdekt hij dat hij een belangrijke slag in de telefonie gemist heeft.

'Zijn ze allemaal zo duur?' vraagt hij aan de goedgeknipte, vlotte verkoper van een jaar of twintig. Die kijkt hem aan alsof hij een ontzettend domme opmerking heeft gemaakt.

'Duur? Meneer, dat is geen geld voor zo'n geavanceerd apparaat.'

Ewoud besluit de sneer te negeren. 'Ik zoek eigenlijk een gewoon prepaid-mobieltje. Ik hoef er alleen maar af en toe mee te kunnen bellen.'

'Die hebben we niet meer in onze collectie, meneer. Misschien vindt u nog iets tweedehands op internet.'

Gefrustreerd loopt Ewoud de winkel uit. Nu moet hij weer in zo'n irritant internetcafé gaan zitten om op een aftandse computer eindeloos naar tweedehands mobieltjes te zoeken. Hij haat die sites. Op een foto kun je toch niet zien of het ding het doet en als je eenmaal kilometers hebt afgelegd om bij die mensen thuis het artikel te bekijken, is het zo lullig om nog van de koop af te zien. Hij besluit naar de Rooksteeg in de hoerenbuurt te gaan om te kijken wat de straathandelaren te bieden hebben. Het gaat er tenslotte om dat hij zo snel mogelijk weer kan bellen.

Bij het inlopen van de beruchte steeg voelt hij een hand op zijn schouder. Ewoud slaat hem onmiddellijk weg en draait zich boos om. 'Wat moet je?' snauwt hij terwijl hij naar een bleek, rond gezicht met een paar kleine blauwe priemoogjes kijkt.

'Ik wil even met u praten,' zegt de man, die ongeveer even lang is als Ewoud maar beduidend dikker. Ewoud zal hem er, dankzij zijn fietsconditie, waarschijnlijk makkelijk uit kunnen sprinten.

'Praten? Waarover dan?' vraagt Ewoud geïrriteerd.

'Zou u even met me mee willen komen naar een rustige

plek? Misschien dat cafeetje daar?' De man wijst naar een groezelig zaakje aan de andere kant van de steeg.

'Ik wil eerst weten waarover dit gaat,' zegt Ewoud. Hij neemt de ander nog eens goed op. De man heeft een net pak aan en draagt keurig gepoetste schoenen. Ewoud ontdekt zelfs een trouwring aan zijn linkerhand. Hij ontspant een beetje. 'Nou?'

'Ik wil met u praten over een bepaalde kwestie. Het lijkt me beter om dat niet op straat te doen.'

'Doe toch maar,' reageert Ewoud narrig terwijl hij in zijn jaszak zoekt naar zijn pakje sigaretten. Er zit er nog maar één in. Hij steekt hem op en inhaleert diep.

'Goed dan,' zegt de man terwijl hij zich naar Ewoud toe buigt en zijn volume dempt. 'Mijn opdrachtgever wil graag weten waarom u zich niet aan de afspraak houdt.'

'Welke afspraak? Wat eh... krijgen we nou?' stamelt Ewoud.

'U weet heel goed wat ik bedoel. U hebt duidelijke afspraken gemaakt over uw vertrek uit Nederland. Inmiddels zijn we al weer een hele poos verder, maar u bent nog steeds hier. Mijn opdrachtgever begrijpt dat niet. Hij dacht dat hij duidelijk was geweest.'

Ewoud krijgt het er koud van. 'Ik moet eerst nog wat dingen afhandelen. Het duurt allemaal iets langer dan ik gehoopt had. Hij zal nog even geduld moeten hebben.'

'Zijn geduld is niet eindeloos, meneer De Vries. Afspraak is afspraak.'

Ewoud knikt. 'Ik doe mijn best.'

Met zijn valse priemoogjes kijkt de man hem indringend

aan. Hij buigt zich nog wat verder naar Ewoud toe. 'Kan ik daarop vertrouwen, meneer De Vries? Ik wil mijn opdracht-gever niet graag teleurstellen.'

'Zoals ik al zei: ik doe mijn best.'

De man kijkt hem nog een keer aan, draait zich dan om en wandelt in de richting van het café. Ewoud zoekt verbouwe-reerd steun tegen de muur. Dat het zover zou komen! De druk wordt opgevoerd. Hij moet snel een telefoon hebben, zodat hij afspraken kan maken over Anouk. En als Fleur niet meewerkt, dan maakt hij er desnoods een rechtszaak van om de omgang met zijn dochter veilig te stellen. Pas dan kan hij zich aan zijn deel van de afspraak houden.

13

Lisa

Lisa concentreert zich op het geluid van haar voetstappen. Haar ademhaling raspt. Eigenlijk is ze te moe om te gaan hardlopen, maar omdat Wim vandaag vroeg thuis was en ze er altijd van opknapt, besloot ze toch nog even te gaan voordat het donker zou worden. Ze denkt terug aan haar werkdag. Iedereen wilde wat van haar. Er waren drie vergaderingen, waarvan een erg belangrijke over de reorganisatie met vertegenwoordigers van de vakbond, maar ze kon haar hoofd er niet bij houden. Continu dwaalden haar gedachten af naar Harald. Vanochtend vroeg had ze meteen met de school en de opvang gebeld om ze in te lichten over de ontvoering. Daarnaast had ze dwingende afspraken gemaakt met de chauffeur van het transportbedrijf. Vandaag kon Wim gelukkig op tijd thuis zijn om de kinderen op te vangen, maar morgen zou hij naar de Verenigde Staten vertrekken en moet zij het voorlopig alleen zien te redden. De ellende is natuurlijk dat je als directeur van een vliegtuigmaatschappij niet zomaar eventjes parttime kunt gaan werken. Weken van zestig uur zijn eerder regel dan uitzondering. Daarom hadden ze vanaf het moment dat de kinderen kwamen, fulltime huishoudsters in dienst. Jasja is nu al vijf jaar bij hen en een onmisbare kracht. Lisa vertrouwt haar de zorg voor de kinderen volledig toe. Wat vervelend dat ze er juist nu niet is. Gelukkig was haar onmisbare assistente Janine er nog wel en had zij geregeld dat er morgenochtend al drie kandidaten zullen langskomen voor een sollicitatiegesprek. Het punt was dat ze daarvoor weer een belangrijke bijeenkomst met een delegatie van het personeel op het werk heeft moeten verzetten. Net nu het gemor toeneemt.

De aangekondigde reorganisatie heeft veel kwaad bloed gezet en menigeen geeft Lisa er de schuld van. 'Verantwoordelijk voor wanbeleid' en 'totaal ongeschikt' leest ze als ze haar naam googelt. In de loop der jaren heeft ze een stevig pantser tegen kritiek gekregen, maar toch doen die onterechte opmerkingen haar pijn. Niemand heeft er wat aan als zij iedere disfunctionerende sukkel in dienst houdt en willekeurig met salarisverhogingen strooit. En met de tegenvallende opbrengsten door de opkomst van de prijsvechters, de hoge kerosineprijzen en een aantal lopende rechtszaken over schadeclaims, kan Lisa zich geen verkwisting van geld of middelen veroorloven.

Lisa kijkt op haar horloge. Tijd voor een paar intervallen. Vorig jaar heeft ze meegedaan aan een klein, gemoedelijk prestatieloopje in het dorp. Ze eindigde ergens in het middenveld. Dit jaar hoopt ze wat verder vooraan te eindigen en daar zal ze toch echt voor moeten trainen. Daar gaan we dan, spreekt ze zichzelf moed in en ze verhoogt haar tempo. Na een minuut begint ze te hijgen, maar ze houdt vol. Als het signaal op haar horloge na twee minuten klinkt, ademt ze diep in en blaast geconcentreerd weer uit. Nadat ze dit een paar keer herhaald heeft, voelt ze zich weer wat beter en hervat haar ademhaling het normale ritme. De route die ze vandaag gekozen heeft, kronkelt langs hei, vennetjes, zandgrond en dichtbegroeide bossen. Haar voeten zetten krachtig af op het bospad, dat is overdekt met een knisperend bed van dode bladeren en dennennaalden. De piep op haar horloge geeft aan dat het al weer tijd is voor de volgende versnelling. Ze zet aan. Haar knieën komen hoog. Het voelt goed vandaag. Haar pas is krachtig en sterk.

Soms komt ze reeën tegen in de uitgestrekte bossen die haar huis omringen. Het mooiste vindt ze het als zo'n dier stokstijf blijft staan en ze het even in de grote, mysterieuze ogen mag kijken. Na een paar magische seconden schiet de ree dan met grote sprongen bij haar vandaan. Dat zijn de mooiste beloningen van het leven zo dicht bij de natuur.

Haar ademhaling wordt weer zwaarder, maar Lisa loopt onverminderd hard door. Wie snel wil worden, moet pijn lijden, spreekt ze zichzelf streng toe. Haar horloge piept weer. Ze matigt haar tred en kijkt verrast om zich heen. De duisternis is ingevallen. Raar hoe dat werkt. Lang merk je er niets van dat de lichtintensiteit afneemt, totdat het voor je gevoel plotseling helemaal donker is. De winter komt vroeg dit jaar.

Lisa baalt dat ze haar snelheidstraining niet kan afmaken, maar heeft geen zin om in het pikdonker over een boomwortel te struikelen en misschien wel haar enkel te verzwikken. Dat kan ze al helemaal niet gebruiken in deze hectische periode. Ze zet de timer van haar hardloophorloge af en vervolgt in kalm tempo haar weg. Nog een kilometer of drie en ze zal weer thuis zijn.

De gebeurtenissen met Harald dringen zich weer aan haar op. De dorpsagent belde haar vandaag op het einde van de middag. Hij meldde dat het buurtonderzoek niets opgeleverd had. Er is wel een aantal dorpsbewoners met een witte bestelbus, maar ze hebben allemaal niets met Haralds kortstondige verdwijning te maken. Eigenlijk gelooft Lisa niet dat de politieman erg zijn best doet om deze zaak op te lossen.

Achter haar klinkt gekraak. Een ree, denkt ze blij, maar als ze omkijkt ziet ze niets in het donkere bos. Wel hoort ze wat verder weg opnieuw wat gekraak. Het dier had vandaag waarschijnlijk geen trek in een ontmoeting met een mens. Teleurgesteld jogt Lisa voort en struikelt bijna over een boomwortel. Een schorre gil ontsnapt aan haar keel. Verdorie, waarom heeft ze zich toch zo laten verrassen door het invallen van de avond?

'De nacht is hetzelfde als de dag, maar dan zonder licht.' Dat zei haar moeder altijd tegen haar als ze bang was. Vroeger werkte dat idee voor haar, maar de volwassen Lisa laat zich niet zo makkelijk om de tuin leiden. De geluiden zijn anders. De nachtdieren worden actief. Ze spitst haar oren. Naast haar ritmische voetstappen en ademhaling hoort Lisa

aan alle kanten geritsel, gekraak, gepiep en getik, waarschijnlijk afkomstig van muizen, eekhoorns, konijnen of uilen. Ze
zoekt de maan, maar ziet dat die verduisterd wordt door de
wolken. Daar zal ze voorlopig geen hulp van krijgen.

De herkenningspunten van overdag zien er in het donker
heel anders uit. Gefrustreerd besluit Lisa te gaan wandelen,
zodat ze zich beter kan oriënteren. Ze heeft het koud in haar
dunne hardloopkleding. Rillend slaat ze haar armen om zich
heen. Zachtjes begint ze te neuriën, kinderliedjes, hits van de
radio. De zeurderige pijn in haar rechterknie speelt weer op.
Misschien moet ze daar toch eens naar laten kijken. Achter
haar klinkt weer een luid gekraak. Ze huivert. Overdag zijn
al die bosdieren schuw, maar zijn ze dat 's nachts ook? Misschien rennen ze dan wel wild in het rond zonder zich te be-
kommeren om eenzame vrouwen. Het doet haar denken aan
de vakantie in the Rocky Mountains een paar jaar geleden,
waar ze tijdens het hardlopen per ongeluk in een berenleef-
gebied terecht was gekomen. Toen ze besefte dat ze daar als
de wiedeweerga weg moest zien te komen, waren de sterke
verhalen naar boven gekomen die ze in de loop der jaren
over beren had gehoord. Over wandelaars die aangevallen
werden, over die idioot die tussen de beren ging leven maar
uiteindelijk toch door ze werd gedood en opgegeten, en over
de beer die een zwakzinnige aanviel in een dierentuin. Daarmee had ze zichzelf zoveel angst aangejaagd dat ze hysterisch
op hol was geslagen. Dwars door kuilen, struiken en dicht-
begroeid bos heen, totdat ze uiteindelijk op een doorgaande
weg was gekomen. Dagenlang liep ze rond met blauwe plek-

ken, bulten en schrammen, zonder ook maar één beer in het wild gezien te hebben. Ze werd hartelijk uitgelachen door Wim en de kinderen en besloot toen plechtig dat ze zich nooit meer zo hysterisch zou gedragen.

Weer dat gekraak. Verdorie, wat is dat toch, denkt Lisa, terwijl ze stopt en haar oren spitst. Wat houdt zich schuil in de bossen? Ze zou toch bijna gaan denken dat ze door een of ander wild dier achtervolgd wordt. Heel even overweegt ze om hard weg te rennen, maar meteen moet ze denken aan haar hysterische gedrag in Canada. Niet aanstellen, Lisa. Je bent gewoon in de vertrouwde bossen achter je huis. De nacht is hetzelfde als de dag, maar dan zonder licht. Niets aan de hand. Rustig doorwandelen.

Een oorverdovend gekraak vlak naast haar laat haar hart op hol slaan. Zonder verder nog na te denken zet ze het op een lopen. Zo hard ze kan, zonder op of om te kijken, stuift ze het bospad af. Takken zwiepen tegen haar gezicht en armen. Spieren en pezen rekken tot het uiterste als ze over boomwortels struikelt en weer opkrabbelt. Hevige steken doorboren haar zij. Een bloedsmaak vult haar mond, maar niets kan haar tegenhouden. Als ze na de snelste kilometers van haar leven eindelijk thuis aankomt, ziet ze eruit alsof ze uit een rijdende auto is gegooid.

14

Anna

Anna kijkt opzij en ziet dat Eric slaapt. Zijn mond is een beetje opengevallen, af en toe snurkt hij zacht. Een uur geleden heeft ze het stuur van hem overgenomen. Grenoble is nog ver en ze willen er zo snel mogelijk zijn. Anna trapt het gaspedaal van Erics Porsche wat dieper in. De teller stijgt naar honderdzestig kilometer per uur. Lekker wagentje. Ze heeft dubbele gevoelens over dit weekend met Eric. Een relatie met een collega wil ze absoluut niet. Dat levert alleen maar onprofessionele toestanden op. Levensgevaarlijk, bovendien. Eric kwam slechts af en toe een klusje doen voor de zaak. Hij was echter zo vasthoudend in zijn versierpogingen dat ze op een onbewaakt ogenblik voor hem een uitzondering had gemaakt. Maar toen ze na een paar ontmoetingen een verliefde blik in zijn ogen zag verschijnen, had ze de affaire uit voorzorg beëindigd.

Toen hij haar toevallig belde op de dag na de lugubere

dood van vogel Sjaak, was ze zo blij om een bekende stem te horen, dat ze erin toestemde hem weer te ontmoeten. Ze ontdekten dat ze een gezamenlijk klusje hadden voor het museum in Grenoble en besloten er een weekend in de bergen aan vast te koppelen. Anna weet niet goed of ze blij moet zijn of spijt moet hebben van haar toezegging. Even afwachten maar. Het is vooral van belang om zijn verwachtingen te temperen. Wat haar betreft blijft het bij dit weekend.

Ze denkt na over het voorval met Sjaak. Iedereen in huis was gechoqueerd, de barones nog wel het meest. Niemand van de bewoners gedroeg zich verdacht, hoewel ze hen natuurlijk niet goed genoeg kende om dat te kunnen beoordelen.

Maar wie had het dan gedaan? Wie was haar kamer binnengekomen om Sjaaks kopje van zijn lijfje te hakken en op een cocktailprikker te spiesen? En nog belangrijker was de vraag waarom iemand zo'n slechte grap met haar uithaalde. Wat had ze in godsnaam gedaan om zoiets te verdienen? Ze rilt. Maria en Laurens hadden wijlen Sjaak en de kooi meegenomen en later hoorde ze dat Maria de onfortuinlijke lovebird nog een soort begrafenis had gegeven. Anna had meteen twee extra sloten op haar deur gezet, maar desondanks sliep ze sindsdien slecht. Het was goed dat ze even weg was van huis.

'We zijn bijna in Grenoble, Eric.'

'Het sneeuwt,' constateert hij, in zijn slaperige ogen wrijvend.

'Het is een halfuurtje geleden begonnen,' antwoordt Anna terwijl ze zorgelijk denkt aan de minimale bagage met lichte kleding die ze gepakt heeft. Op een sneeuwbui had ze niet gerekend. Eric is inmiddels helemaal wakker en tuurt bezorgd naar de weg. 'Na Grenoble gaan we direct de bergen in. Zal ik met al die sneeuw het stuur weer overnemen? We moeten opschieten. Als het donker wordt, vinden we het nooit.'

Anna stemt in. Scheuren op de snelweg is prima, maar met Erics bolide over gladde, smalle bergweggetjes manoeuvreren ziet ze helemaal niet zitten.

'Weet je zeker dat we goed gaan?' vraagt Anna als Eric achter het stuur zit en ze al een halfuur geen dorp meer gepasseerd zijn. Het smalle bergweggetje is inmiddels overgegaan in een slecht begaanbaar karrenspoor. De sneeuwvlokken worden steeds groter en het zicht neemt sterk af.

'Ja hoor,' antwoordt Eric geruststellend terwijl hij de sportwagen geconcentreerd over het snel stijgende pad stuurt. Naast hen ligt een duizelingwekkende afgrond. Anna durft amper te kijken. 'Vanaf nu is het alleen maar rechtdoor. Over een kilometer of twee ligt het chalet aan de rechterkant van het weggetje.'

Het pad zit vol kuilen en af en toe schuift de onderkant van de Porsche over de grond. Uit haar ooghoeken ziet Anna dat Eric elke keer als dat gebeurt een beetje ineenkrimpt, maar hij zegt niets. Stoer vindt ze dat. Na nog een minuut of tien door elkaar geschud te zijn, ziet ze een houten chalet opdoemen.

'Ziehier ons romantische optrekje,' zegt Eric opgewekt.

Anna probeert te glimlachen. Dit afgelegen hutje is absoluut niet wat zij in gedachten had. In haar gedachten leek het chalet op een luxehotel en lag het in de bewoonde wereld. Ze probeert niet te veel van haar teleurstelling te laten merken.

'De sleutel zou in de bloembak naast de deur moeten liggen,' zegt Eric als ze zijn uitgestapt. Anna grabbelt en heeft hem meteen te pakken. 'Voilà.' De deur klemt. Pas met een flinke duw krijgt ze hem open. Omdat de luiken voor de ramen gesloten zijn, is het aardedonker binnen. Anna schakelt de zaklamp, die Eric met vooruitziende blik heeft meegenomen, in en stapt naar binnen. Het ruikt er muf. Alsof er al in geen maanden iemand is geweest.

Opgewekt klapt Eric in zijn handen. 'Ziezo. Even snel de boel in orde maken voordat het donker is. Steek jij wat kaarsen aan en gooi een paar luiken open zodat het hier morgenochtend niet zo donker is? Dan maak ik intussen de houtkachel aan. Romantisch, toch?' vraagt hij zonder haar aan te kijken. 'We kunnen het hier weken uithouden als het moet. Hoewel we dan waarschijnlijk wel veel hout nodig hebben voor het koken,' voegt hij eraan toe. 'Er is namelijk geen elektriciteit of gas.'

'Dat vermoeden had ik al,' reageert Anna gelaten.

Ze loopt naar buiten om een paar luiken te openen. Het is al bijna donker en de temperatuur is flink gedaald. Gelukkig is het gestopt met sneeuwen. Als ze kijkt naar het donkere dennenwoud dat de alpenwei omringt, voelt ze zich plotseling heel nietig. Ze kijkt naar de hemel. Geen ster te zien. Ze moet denken aan wat haar vader haar altijd vertelde over de doden. 'Ze zijn er nog wel. Maar ze zijn heel ver weg.' Hij zocht dan aan de hemel naar een grote, heldere ster en wees ernaar. 'Als ze dood zijn, veranderen mensen in sterren. Ze komen iedere nacht als we slapen en kijken of het goed met ons gaat.' Anna veegt een traan weg. Wat een moment om sentimenteel te worden.

Wanneer ze de deur van het chalet opent, komt haar een dikke, verstikkende rook tegemoet. Eric wappert paniekerig met een krant bij de kachel. Anna laat de buitendeur openstaan om te luchten en steekt wat kaarsen aan om de donkere hut te verlichten. Als Eric de kachel tien minuten later eindelijk brandend heeft en de rook verdwenen is, dekt Anna het bed met een paar klamme lakens en muffe dekens die ze heeft gevonden in een houten kist. Langzaam wordt het wat warmer in de hut. Anna wrijft in haar prikkende, geïrriteerde ogen en gaat aan de gammele tafel zitten. Iemand heeft ooit geprobeerd om het gezellig te maken, want er ligt een smerig roodwit geblokt tafelkleedje op.

'Wijntje?' vraagt Eric. Op de tafel heeft hij brood, paté, kaas en olijven klaargezet. Met een tevreden gezicht schuift hij naast Anna op de houten bank. Er zit roet op zijn gezicht en overhemd. Hij ziet er grappig uit.

Anna lacht. 'Je bent vies,' zegt ze.

'Geef deze smeerpoets eens een zoen,' zegt hij grijnzend.

Anna giechelt meisjesachtig, veegt het roet zorgvuldig weg met een servetje en kust hem. Niet veel later laat ze zich meevoeren naar het bed en ontspant zich voor het eerst sinds dagen.

'Zou de paté bedorven zijn? Er hangt hier zo'n rare lucht,' zegt Anna als ze later aan de maaltijd beginnen.

Eric ruikt eraan en schudt zijn hoofd. 'Die is in orde. Volgens mij ruik je het natte hout. Het moet hier gewoon nog even wat warmer en droger worden.'

Anna nestelt zich tegen Eric aan. 'Je moet beloven dat je me zo meteen niet uit gaat lachen,' fluistert ze in zijn oor.

'Dat ligt er toch wel een beetje aan wat je gaat doen,' reageert Eric.

'Ik ga mijn lenzen uitdoen en mijn bril opzetten.'

Eric glimlacht. 'Ah, ik wist wel dat je eigenlijk een nerd bent.'

'Ja. En het is heel erg. Ik heb min 5 en min 6. Ik ben stekeblind. Mijn bril is van het model jampot uit de jaren zeventig.'

'Dat wil ik zien.'

Anna loopt met een kaars en kandelaar naar het piepkleine badkamertje en verruilt haar uitgedroogde contactlenzen voor haar dikke zwarte bril. Ze vervloekt zichzelf dat ze niet een keer geïnvesteerd heeft in een wat moderner model met dunnere glazen. In de spiegel ziet ze dat haar ogen rooddooraderd zijn en haar oogleden gezwollen. Dat komt vast door de rook van de houtkachel of het ronddwarrelende stof in de blokhut.

'Mijn erotische droom komt uit. In bed met Nana Mouskouri,' zegt Eric met een grijns als hij haar ziet.

Grinnikend klimt Anna naast hem in bed. 'Kom maar op dan.'

Als Anna de volgende ochtend met moeite haar dichtgeplakte, ontstoken ogen opent, zorgt het scherpe daglicht voor een pijnscheut in haar rechterslaap. Wat is het licht buiten. Het lijkt wel of de zon schijnt. Ze zet haar bril op, slaat een deken om zich heen en loopt naar het raam. Er ligt een dikke laag maagdelijk witte sneeuw.

Eric springt opgewekt uit bed, knuffelt haar en trekt een warme trui, broek, sokken en bergschoenen aan. Daarna steekt hij de kachel aan om koffie te kunnen zetten. Anna gaat aan de tafel zitten en kijkt met een bedrukt gezicht toe.

'Mooi toch, zo'n sneeuwlandschap,' zegt Eric vrolijk.

'Straks komen we hier niet meer weg door die sneeuw.'

'Dat zal wel meevallen,' zegt Eric luchtig. 'Ik heb een sneeuwschuiver gezien in de schuur. We moeten straks even aan het werk. Laten we eerst koffiedrinken.'

Anna zwijgt en roert in de dampende koffie. 'Het stinkt hier echt, Eric. Wat is dat toch voor ranzige lucht? Het is net of het steeds erger wordt.' Ze snuffelt. 'Volgens mij ligt er hier iets te bederven, vlees of zo.'

'Zoek jij maar eens uit wat het is. Dan maak ik ondertussen een heerlijk ontbijtje voor je klaar, Nana. Eitje? En zou je je eerst niet even gaan aankleden voor een mooie dag in de bergen?'

Anna aarzelt. 'Eric, ik vrees dat ik er door dat gedoe met Sjaak niet goed over nagedacht heb wat ik mee moest nemen. Ik heb geen wandelschoenen en niet eens een goede winterjas bij me. Eigenlijk alleen maar het leren jasje dat ik gisteren aanhad.'

Erics ogen worden even wat donkerder, maar dan haalt hij nonchalant zijn schouders op. 'Geeft niet, schatje. Je kunt een trui van mij lenen en volgens mij zag ik gisteren in de schuur een jas hangen. Misschien past die je,' zegt Eric. 'Ga maar eens kijken.'

Anna trekt snel wat kleren aan. Als ze de deur met enige moeite heeft opengeduwd en naar buiten stapt, zakt ze onmiddellijk tot haar knieën weg in de sneeuw. 'Verdomme,' vloekt ze zacht. Was ze maar thuisgebleven. Ze ploetert naar de schuur, graait een gore, gele regenjas van een haak aan de muur en begint zich een weg terug te banen naar het chalet. Als ze er bijna is, valt haar oog op iets vreemds. Het hangt aan de buitenkant van de halfgesloten deur van het chalet. Ze knijpt haar ogen samen. Als ze beseft wat ze ziet, komt haar maaginhoud naar boven. 'Getverderrie!' roept ze luid. 'Eric! Er hangt een dode hond aan de deur.' Aan een roestige spijker bungelt een klein wit schoothondje heen en weer. Van het soort dat Fifi heet en rode strikjes draagt.

15

Begin je jezelf al een beetje ongemakkelijk te voelen? Heb je het gevoel dat iemand je in de gaten houdt? Of denk je dat iemand het op jou gemunt heeft? Zou best kunnen. Waarom zou dat zijn, denk je? Heb je soms iets fouts gedaan? Iets waardoor iemand heel erg boos op je is geworden? Denk maar eens goed na. Weet je het niet? Zal ik je helpen je geheugen op te frissen? Dat doe ik namelijk graag. Maar ik zal het je niet te gemakkelijk maken. Ik houd namelijk van spelletjes. Ik heb al zo lang gewacht, daar kan best nog wel wat tijd bij. Stukje bij beetje zal het je duidelijk worden en als ik straks voor je deur sta, dan zal ik je alles verklappen. Ik denk dat je me groot gelijk zult geven.

16

Ewoud

'Even wachten, Fleur. Het is zo voorbij.' Nadat hij met zijn hand het microfoontje van zijn telefoon afgedekt heeft, vloekt Ewoud zacht: 'Verdomme.' Hij bijt op zijn lip en telt tot tien. Als het donderende geraas van de overvliegende Boeing 747 eindelijk voorbij is, haalt hij diep adem en brengt de telefoon weer naar zijn mond. 'Je zei?'

'Anouk is doodsbang voor je. Ze wil je niet meer zien. Je hebt het zelf verpest.'

'Maar Fleur, je weet dat ik het niet zo bedoelde. Je kent me toch? Je weet dat ik haar nooit iets aan zou doen.'

De stilte aan de andere kant is oorverdovend.

'Fleur?'

'Ja.'

'Dat weet je toch? Wees nou eerlijk. Kom op, Fleur.'

'Je bent veranderd, Ewoud. Ik weet niet meer wie je bent.'

Fleurs stem klinkt hard en kil. Ooit fluisterde ze hem lieve woordjes in zijn oren.

'Ik was overstuur, Fleur. Ik had niet tegen die vuilnisbak moeten trappen, dat weet ik, maar...'

'Het ging niet om die schop! Het ging om de agressieve blik in je ogen. Je had jezelf moeten zien, Ewoud. Je leek wel een waanzinnige!'

Ewoud bijt hard op de binnenkant van zijn lip. De zoete smaak van bloed herinnert hem aan zijn missie. 'Het spijt me, Fleur. Het zal niet meer gebeuren.'

'Dat kun je wel beweren, maar ik weet niet of ik je kan vertrouwen. Bovendien wil Anouk je zelf ook niet meer zien. Ik kan haar niet dwingen om jou te ontmoeten, Ewoud.'

'Laat me met haar praten, Fleur. Asjeblieft?'

'Ze is er nu niet.'

'Kan ik haar later bellen?'

'Dat lijkt me geen goed plan, Ewoud.'

'Ik wil haar mijn excuses aanbieden. Geef me nog een kans, Fleur! Asjeblieft?' Ewoud houdt zijn adem in. Lange tijd blijft het stil aan de andere kant van de lijn.

'Ik zal het met haar overleggen. Als ze zin heeft om met je te praten, belt ze jou wel.'

'Heb je mijn nieuwe telefoonnummer opgeschreven?'

'Ik sla het zo meteen op in mijn telefoon, Ewoud.'

'Dank je, Fleur.' Voordat hij uitgepraat is, hoort hij aan de andere kant van de lijn een pieptoon die al snel wordt overstemd door het geraas van alweer een vliegtuig.

Ewoud laat zich ontmoedigd achterover op de bank vallen.

Wat kan hij in godsnaam doen? Het liefst zou hij gewoon bij hen aanbellen en hopen dat Anouk de deur opendoet, maar hij weet dat Fleur dan onmiddellijk de politie belt. Soms verdenkt hij haar ervan dat ze met de wijkagent flirt, want van die kerel krijgt ze alles gedaan. Anouk opwachten bij school is een andere optie, maar ook daar zijn alle leerkrachten gewaarschuwd. Dat heeft hij al eens tot zijn schande ondervonden, toen hem vriendelijk doch dwingend verzocht werd het schoolplein te verlaten. Ook toen had hij zich niet kunnen beheersen en had hij de schooldirecteur uitgemaakt voor nazi. De ommekeer was moeilijk te bevatten. Het ene moment was hij nog de gerespecteerde, zorgzame vader, het volgende moment werd hij behandeld als een paria. Dat is toch om stapelgek van te worden? Waarom luistert er niemand naar zijn kant van het verhaal? Iedereen staat onmiddellijk klaar met zijn oordeel. Waarom gelooft niemand hem? Hij houdt zielsveel van zijn dochter. Dat kun je iemand toch niet aanrekenen?

Hij strekt zijn benen op het salontafeltje en stoot daarbij de volle asbak op de grond. As dwarrelt door de lucht. Ewoud zet de televisie aan. Als hij te lang over zijn situatie nadenkt, gaat zijn hoofd tollen. Hij probeert zich te concentreren op een actiefilm, maar de beelden van zijn lieve dochter blijven terugkeren. Vroeger stond ze vaak achter de deur op hem te wachten als hij terugkwam van zijn werk. Dan strekte ze haar armpjes naar hem uit en liet ze zich gewillig knuffelen. Het gaf hem het gevoel dat hij heel bijzonder was. Haar held. 'De liefste papa van de hele wereld,' zoals ze wel eens zei.

Mismoedig wipt hij de kroonkurk van een bierflesje en slikt twee pijnstillers door met een paar grote slokken bier. Wat te doen? Vrijdagavond. Vroeger namen hij en Fleur vaak een aperitiefje, deden ze een spelletje met Anouk en kookte Fleur daarna wat lekkers. Soms huurden ze een film en als hij mazzel had was er sprake van seks, maar meestal niet. Als Fleur eens zin had, was het op zondagavond. Hij verdacht haar ervan dat ze een 'things to do'-lijstje voor het weekend had en dat onderdeel tot het laatst uitstelde.

Een hard, doordringend geluid doet hem opschrikken. Even weet hij niet wat hij hoort. Natuurlijk, de deurbel, beseft hij na enkele seconden. Kreunend staat hij op, de pijnstillers hebben hun werk nog niet gedaan. Wie kan dat in godsnaam zijn?

Als hij de deur opent, ziet hij de tengere gestalte van Suus, gehuld in een enorme poncho die haar nog kleiner doet lijken dan ze al is. Boos kijkt ze hem aan. Verschrikt deinst Ewoud terug.

'Je hebt tegen me gelogen! Je bent helemaal niet getrouwd. Het was gewoon een kutsmoes om van me af te komen.'

Ewoud opent zijn mond om een weerwoord te geven, maar er schiet hem niets te binnen. Dan ziet hij dat Suus bloeddoorlopen ogen heeft.

'Zo ga je niet met een vrouw om, Ewoud. Zoiets flik je niet.'

Verbouwereerd kijkt Ewoud de kleine boze roodharige aan.

'Joop uit het café vertelde me dat je gescheiden bent en dat je hier woont.'

Ewoud beseft dat hij moet stoppen met te vaak in dezelfde

cafés te komen. Dat kon niet goed blijven gaan. Het bewijs stond nu voor zijn deur.

'Laat je me niet binnen?' Suus slaat haar armen afwachtend over elkaar. Het is alsof die beweging haar uit balans brengt, want ze wankelt even en zoekt steun bij de deurpost. 'Of is er een vrouw bij je?'

Ewoud schudt zijn hoofd. Voor het eerst sinds haar komst weet hij wat hij moet antwoorden. 'Er is niemand anders, Suus.' Haar gezicht klaart een beetje op. Het is alsof hij iets van opluchting in haar ogen ziet. Haar groene ogen. Hij weet nog dat hij die avond dat hij haar in de bar oppikte, vooral betoverd was geweest door die mysterieuze, diepgroene ogen. Je kwam ze zelden tegen. Echt mooi vond hij Suus niet, maar aandoenlijk was ze wel met haar kleine lichaampje. Ze had hem eens verteld dat ze voor kleding aangewezen was op de kinderafdeling. Schattig vindt hij dat.

Ewoud aarzelt. De boze uitdrukking op haar gezichtje heeft plaatsgemaakt voor iets wat hij het beste kan omschrijven als hoop. Hij ruikt de lucht van sigaretten en drank. 'Kom je net uit het café?'

Ze knikt.

Ewoud neemt een besluit. Hij kan dit kleine, dronken meisje niet terug de straat op sturen. 'Kom binnen.' Suus loopt door het smalle halletje naar de huiskamer. Ewoud maakt een uitnodigend gebaar naar de bank. 'Biertje?'

Ze knikt gedwee.

Zwijgend zitten ze naast elkaar, drinken hun bier en kijken televisie. Na het tweede flesje trekt Ewoud haar naar zich toe. Onmiddellijk duwt ze haar lichaam begerig tegen hem aan.

Kan het kwaad? Ze is nu toch al in zijn huis.

Als hij de volgende ochtend wakker wordt, komt de geur van verse koffie hem tegemoet. In het keukentje treft hij Suus druk in de weer met het koken van eieren.

'Ik zag dat je niets in huis had voor het ontbijt, dus ik ben even naar de supermarkt hier om de hoek gegaan. Ga jij maar lekker zitten, dan maak ik een heerlijk ontbijt voor ons klaar.' Ewoud voelt zijn maag omdraaien. Suus trekt zijn keukenkastjes open op zoek naar borden en messen. 'Je hebt niet zoveel. Zal ik een keer wat bordjes, mokken en bestek voor je meebrengen?'

'Suus, ik wou niet...'

Ze draait zich naar hem om. Haar groene ogen glanzen. 'Het is goed, Ewoud. Je hoeft het verder niet uit te leggen. Zand erover. Wat telt is dat ik je gemist heb. En aan je enthousiasme vannacht te merken heb jij mij ook heel erg gemist.' Ze draait zich om en gaat opgewekt door met haar voorbereidingen. Een blik in de huiskamer leert hem dat de boel daar ook al keurig opgeruimd is. Boven hun hoofden passeert een Airbus. Ewoud draait zich om en rent naar het toilet, doet de deur op slot en gaat met zijn hoofd in zijn handen zitten wachten totdat die nare kronkel in zijn buik verdwenen is.

17

Lisa

'Doet het pijn?' vraagt de jongen belangstellend, terwijl hij met zijn vinger tegen zijn wenkbrauw tikt.

Lisa kijkt hem vragend aan.

'U hebt een lelijke wond bij uw oog. Hebt u er al een dokter naar laten kijken?'

'O, dat. Nee, dat is niets. Ik ben gestruikeld bij het hardlopen en een beetje ongelukkig gevallen. Gaat wel over. Goed. Laten we uw cv eens bekijken.' Lisa kijkt naar het A4'tje dat de blonde jongeman haar bij binnenkomst overhandigd heeft. Hij heeft een paar jaar op de pabo gezeten. Niet slecht. Dan kan hij vast met kinderen overweg. Maar een man als huishoudster? Lisa denkt terug aan de twee oudere dames die ze eerder die ochtend gesproken heeft over de tijdelijke baan. Allebei waren ze niet bereid om de opvang van de kinderen te combineren met het dagelijkse huishoudelijke werk. De vaatwasser uitruimen en koken wilden ze eventueel nog wel, maar dat was echt het uiterste. Blijkbaar was Janine niet duidelijk genoeg geweest bij het bemiddelingsbureau en waren er voornamelijk echte nanny's op haar afgestuurd. Lisa weigerde echter een fulltime nanny aan te nemen als de kinderen toch voor een groot deel van de dag op school zaten. Wat was er in godsnaam op tegen om naast het oppassen een beetje te poetsen en te strijken? Jasja bewees al jarenlang dat beide taken goed te combineren waren.

'U moet ook het dagelijkse huishoudelijke werk verrichten zoals schoonmaken, wassen, strijken, koken...'

'Dat is geen probleem, mevrouw,' antwoordt de jongen haar.

Lisa kijkt nog eens op het A4'tje. Bas de Jong heet hij. 'Hebt u een rijbewijs?'

'Ja, maar geen auto.'

'Wij hebben een auto die u kunt gebruiken.'

Lisa bestudeert zijn cv. Hij is drieëntwintig jaar en heeft tot nu toe alleen maar tijdelijke baantjes gehad. 'Ik zie dat u geen ervaring hebt in dit werk. Waarom wilt u dit doen?'

'Ik vind het leuk om met kinderen om te gaan. Voorlopig hoef ik nog geen vaste baan, want ik wil me een beetje oriënteren op de mogelijkheden. Schoonmaken vind ik niet vervelend, koken vind ik leuk. Dit lijkt me een prima tijdelijke baan.'

'Weet u wat autisme is?'

'Daarover hebben we het op de pabo wel eens gehad. Er zijn verschillende vormen, toch?' Vragend kijkt hij haar aan.

Lisa zucht diep. Het zou wat kruim kosten om deze oner-

varen jongen te begeleiden, maar misschien zou het goed uitpakken. Hij kwam sympathiek op haar over en ze kon geen
dag langer wegblijven van het werk waar het volop crisis
was. 'Kunt u morgen beginnen?'

'Jazeker, mevrouw. Zelfs nu al, als u dat wilt.'

Lisa kijkt hem dankbaar aan en steekt haar hand uit. 'U
hebt een baan!'

Bas lacht. 'Noemt u me dan alsjeblieft voortaan gewoon
Bas.'

Lisa glimlacht. 'Prima, Bas.'

Als Lisa even later naar kantoor rijdt, heeft ze een weeïg
gevoel in haar buik. Ze kan hoogstens twee uur blijven, want
ze heeft met Bas afgesproken dat hij eerst het strijkwerk doet
en dat ze hem later die middag thuis oppikt om samen de
kinderen van school op te halen. Vanaf morgen moet hij het
alleen doen.

Wim was gisterochtend al vroeg naar Amerika vertrokken.
Met heel veel moeite had ze zich kunnen inhouden hem te
vragen zijn gastdocentschap te verzetten. Ze weet hoe hij er
zich op verheugd heeft en het is natuurlijk ook een geweldige
kans voor hem.

Misschien is alles nu met de komst van Bas opgelost. Als
het maar klikt met de kinderen. Meteen voelt ze de knoop in
haar maag strakker worden. Harald. Wat moet ze toch met
Harald? Sinds de ontvoering, of wat het ook was, heeft ze
amper contact met hem kunnen krijgen. Maar misschien kan
juist een jonge, spontane vent als Bas tot hem doordringen,
probeert ze zichzelf gerust te stellen.

Als ze het grote bedrijfspand op de luchthaven inloopt, wordt ze onmiddellijk door allerlei mensen aangesproken. Een piloot maakt zich zorgen over zijn baan, de voorlichter wil met haar afstemmen hoe ze met de pers zullen omgaan en een accountant wappert met declaraties. Verontschuldigend wimpelt ze hen af en beent naar de directiekamer, waar Janine haar opwacht. Zoals altijd ziet haar assistente er tot in de puntjes verzorgd uit. Vriendelijk glimlachend wijst ze Lisa op drie stapels op haar bureau. 'Ik heb de post, de telefoonnotities en uw mailtjes in drie stapels verdeeld. Links is zeer urgent, midden moet binnen nu en een paar dagen afgehandeld worden, rechts kan nog even wachten!'

'Ik ben er vandaag maar twee uurtjes. Morgen begin ik aan deze stapels. Je moet me vandaag nog even uit de wind houden, Janine.'

'Natuurlijk, mevrouw Van Ostade.' Ze aarzelt even. 'Hopelijk vindt u mij niet te nieuwsgierig, maar hebt u een keuze kunnen maken uit de sollicitanten?'

Lisa ziet Janines hoopvolle blik en slikt haar kritiek in. 'Goed werk, Janine. Ik heb voor de jongen gekozen.'

Janines ogen lichten op bij het horen van het compliment. 'Dat lijkt mij een goede keuze.'

'We zullen zien,' mompelt Lisa voordat ze plaatsneemt achter haar bureau. Ze besluit nog even de stukken door te nemen voordat haar bezoek komt. Vandaag heeft ze een overleg met haar advocaten over de lopende rechtszaken. Door alle toestanden bij haar thuis moet ze even haar best doen om weer in de ingewikkelde materie thuis te geraken.

Ze bekijkt de gedetailleerde verslagen. Als ze die schade-claims daadwerkelijk zou moeten betalen, kon ze net zo goed meteen het faillissement aanvragen. Ze huivert bij die gedachte. Het zou niet alleen een groot falen voor haar persoonlijk betekenen, het zou ook betekenen dat duizenden mensen hun baan zouden verliezen. Mensen met hypotheken en schoolgaande kinderen die erop vertrouwen dat Lisa ervoor zorgt dat het bedrijf financieel gezond is zodat zij een zorgeloos leven kunnen leiden. Gelukkig heeft ze een team van gespecialiseerde advocaten om zich heen verzameld die tot het uiterste zullen gaan om een voor het bedrijf zo gunstig mogelijke regeling te treffen in de vorm van een voorlopige schadevergoeding. Daarmee kunnen de gemoederen hopelijk een beetje bedaard worden en komt er wat rust om de zaak verder uit te zoeken.

Na de bespreking moet ze als een gek rijden om Bas bij haar thuis op te kunnen pikken en daarna op tijd op school te zijn. Als ze de voordeur opent, roept ze hard: 'Bas, kom snel, we zijn al te laat.' Maar ze krijgt geen reactie. Uit alle macht roept ze nog een keer, maar het blijft stil. 'Verdomme,' vloekt ze, waarna ze terugrent naar haar auto om naar school te scheuren. Beelden van een leeggeroofd huis dringen zich aan haar op. Hoe kon ze in godsnaam zo naïef zijn? Al die stress is blijkbaar funest voor haar beoordelingsvermogen. Ze denkt aan het kistje met juwelen in de kluis en de in de kelder opgeslagen schilderijen die ze onlangs als investering heeft gekocht. Wat is ze toch een goedgelovige idioot.

Wanneer ze de straat van de school inrijdt, hoort ze de zoemer gaan. Net op tijd. Ze stopt, grist haar tas van de stoel naast haar en rent naar het schoolplein. De eerste kinderen komen naar buiten rennen. Ze kijkt over het plein. Haar blik valt op de gestalte van Bas. Hij staat te kletsen met de conciërge. Als hij haar ziet, lacht hij opgewekt en komt naar haar toe. 'Ik ben alvast maar gegaan voor het geval je het niet zou redden,' zegt hij vriendelijk. 'Ik heb je mobiele nummer nog niet, anders had ik je even gebeld.'

Lisa glimlacht opgelucht en slaat hem joviaal op zijn schouder. 'Bas, je bent echt een reddende engel.'

'Mamááá.' Franka komt aanrennen. 'Ik heb een mooie tekening voor je gemaakt.' Als ze dichterbij komt, kijkt ze Bas aandachtig aan. 'Wie is die meneer, mama?'

'Dat is Bas. Hij komt ons helpen zolang Jasja weg is.'

Franka duikt weg achter Lisa's knieën en gluurt naar Bas. Henry sluit zich bij hen aan. Bas steekt zijn hand naar hem uit. Verlegen neemt Henry hem aan. In zijn ogen ziet Lisa iets flonkeren. Hij vindt Bas leuk, beseft ze. Natuurlijk, een grote stoere jongen! Dat werkt voor die jochies. Misschien zelfs voor Harald. 'Kom, we gaan naar huis. Ik heb zin om een taart te bakken. Jullie ook?'

18

Anna

Anna staart uit het raam van haar werkkamer in Grenoble. Ze draait haar wijsvinger om een haarlok en wrijft hem tegen haar bovenlip, een gewoonte uit haar jeugd die haar een gevoel van troost geeft. Zojuist heeft ze werkoverleg met Frank gehad. Het kostte haar moeite om te zwijgen over de angstaanjagende gebeurtenissen tijdens het weekend in de bergen, maar ze moet er niet aan denken dat hij ontdekt dat zij daar met Eric was. Toch zou het fijn zijn om haar verhaal kwijt te kunnen, want ze doet 's nachts geen oog meer dicht. Voortdurend controleert ze of de deur van haar hotelkamer op slot zit en van ieder onverwacht geluid krijgt ze kippenvel.

Als ze terugdenkt aan het weekend kan ze amper geloven hoe nonchalant Eric reageerde op de vondst van de vastgenagelde dode hond aan de deur van hun primitieve vakantieverblijf. 'Maak je niet zo druk,' zei hij nonchalant. 'Het zal wel een grap zijn.'

'Grap? Je hangt toch niet voor de grap een dode hond aan de deur? Zoiets doe je toch niet?' Onthutst probeerde Anna het tot hem te laten doordringen. 'Zie je het niet, Eric? Eerst wordt mijn vogel onthoofd en nu gebeurt er dit. Iemand heeft het op me gemunt, Eric!'

'Kom op, Anna. Trek niet meteen van die overhaaste conclusies. Het kan ook iets heel onschuldigs zijn. Misschien heeft een jager dit hondje per ongeluk doodgeschoten en dacht hij dat het van ons was. Dat kan toch?'

Anna keek hem verbijsterd aan van achter haar dikke brillenglazen. 'Waarom heeft hij dan niet gewoon op de deur geklopt?'

Eric haalde laconiek zijn schouders op. 'Misschien was hij bang dat we boos zouden worden?'

Anna gaf zich niet zo snel gewonnen. 'Stel dat je gelijk hebt. Dan nog hang je zo'n diertje niet aan een spijker op een deur.' Paniekerig keek Anna om zich heen naar het besneeuwde land. 'Ik zie nergens voetstappen. Het moet dus voor de ergste sneeuwval zijn gebeurd. Gisteravond dus al. Misschien heeft hij wel naar ons zitten gluren terwijl we…' De tranen sprongen in haar ogen. Ze sloeg haar trillende handen voor haar mond. 'Wat is er toch aan de hand, Eric?' fluisterde ze.

Eric sloeg zijn arm om haar heen. 'Zullen we het beestje er maar van afhalen?' opperde hij. 'Zo te ruiken is hij al een tijdje dood.'

'Nee, laat hem hangen. Dit moet de politie zien. Wacht, ik bel ze meteen.' Anna greep haar telefoon en toetste het

alarmnummer in. 'Geen bereik, verdomme.' Ze schopte hard
tegen de veranda. 'Waar is het dichtstbijzijnde dorp?'

'Dat is wel een halfuurtje rijden,' antwoordde Eric. Hij
wees naar de auto, die helemaal ingesneeuwd was. 'Ik denk
niet dat we hier voorlopig wegkomen.' Anna voelde de paniek weer opkomen.

'Laten we eerst naar binnen gaan en daar beslissen wat we
gaan doen,' zei Eric rustig. 'Hier is het veel te koud.'

Toen Eric voorzichtig de deur van het chalet opende, slin-
gerde de hond vervaarlijk heen en weer. De rotte vleeslucht
die Anna de avond daarvoor ook al had geroken, drong haar
neus binnen. Walgend draaide ze zich om en braakte in drie
krachtige golven haar maaginhoud in de smetteloze sneeuw.

'Eric, zie je nog steeds niet in wat er aan de hand is?' zei ze
toen ze haar bril weer recht op haar neus gezet had. 'Iemand
heeft hier gisteren een dode hond aan de deur gehangen terwijl wij lagen te vrijen. Dat is echt heel luguber. Ik wil hier
geen seconde langer blijven!'

Eric keek haar een paar lange tellen peinzend aan voordat
hij zich gewonnen gaf. 'Goed dan. Ik ga met de sneeuwschuiver uit de schuur proberen de auto uit te graven. Haal
jij ondertussen onze bagage uit de hut.'

Met dichtgeknepen neus duwde Anna de deur wat verder
open, ging naar binnen en griste alle spullen bij elkaar. Toen
ze weer buiten kwam, stond het zweet bij Eric op zijn voorhoofd. Hij keek haar ernstig aan. 'Dit lukt nooit. Als ik de
auto al van zijn plaats krijg, komen we nooit ver in deze
sneeuw. Laten we toch maar hier blijven.'

'Dan ga ik lopen,' zei Anna koppig. Ze zag er enorm tegenop om door de sneeuw te moeten ploegen, maar dat deed ze nog liever dan in die vervloekte hut blijven.

'Anna, het is te koud, nat en gevaarlijk om nu op pad te gaan. Het is veiliger om in de hut te blijven.'

'Met die maniak in de buurt? Echt niet. Ik vertrek,' zei Anna vastberaden.

'Dat is niet slim, Anna,' reageerde Eric.

Anna zag iets wanhopigs in zijn ogen, maar ze was niet te vermurwen. 'Kan me niet schelen. Ik ga.'

'Ik vind dit heel onverstandig, maar ik heb blijkbaar geen andere keus,' reageerde Eric gelaten. 'We kunnen maar een paar dingen meenemen. De rest moeten we later ophalen.' Eric stopte wat eten in een rugzakje en overhandigde haar de vreselijke regenjas uit de schuur. Zonder wat te zeggen, trok ze hem aan. 'Heb je echt geen betere schoenen?' Anna schudde haar hoofd. Eric keek afkeurend naar haar elegante korte, leren laarsjes met een klein hakje. Haar meest comfortabele schoenen. 'Als je naar de bergen gaat, neem je toch wandelschoenen mee?'

'Dat zal ik inderdaad een volgende keer niet makkelijk vergeten,' antwoordde Anna nors, terwijl ze een laatste blik wierp op de hond aan de haak.

Het wandelpad dat hen volgens Eric naar het dichtstbijzijnde dal zou moeten brengen, had een hellingspercentage van een procent of tien en omdat ze steeds wegzakten of uitgleden, was het hard werken om een paar meter vooruit te komen. Zwijgend ploeterden ze achter elkaar voort over

99

het steeds smaller wordende pad dat langs een diep ravijn liep. Eric liep voorop. Anna volgde op een paar meter afstand. Na een paar minuten waren haar voeten al nat en ijskoud geworden. Ze was van de ene hel in de andere gekomen. Op het moment dat ze wilde voorstellen om even te stoppen, voelde ze haar benen onder zich wegglijden en draaide de wereld ondersteboven. Toen ze zich weer oprichtte, zag ze een paar meter boven zich de onscherpe gestalte van Eric.

'Niet bewegen!' riep hij. 'Je ligt op een plateautje, maar ik weet niet hoe stevig het is.'

Anna probeerde haar ogen scherp te stellen op Erics gezicht, maar het beeld bleef vaag. Paniekerig greep ze naar haar ogen. 'Mijn bril,' kreunde ze wanhopig.

'Die ben je kwijt. Hij ligt een meter of tien lager in het ravijn,' zei Eric droogjes. 'Rustig blijven. Ik ga even wat zoeken om je mee naar boven te hijsen.'

Kleumend wachtte Anna op zijn terugkeer. Ze probeerde krampachtig niet te denken aan de angstaanjagende leegte onder haar.

'Grijp deze tak,' hoorde ze Eric zeggen.

Voorzichtig kwam Anna overeind en tastte naar de tak.

'Voorzichtig nu. Klim rustig omhoog. Pak met je andere hand die struiken daar tegen de bergwand.'

'Waar?'

'Linksboven je.'

Anna tastte boven zich en trok stevig aan de struik die ze daar voelde. Hij hield haar gewicht.

'En nu rustig omhoog klimmen. Een paar stapjes en je bent er.'

Moeizaam klauterde ze naar boven en toen ze er eenmaal was, viel ze opgelucht in Erics armen.

'Je handen bloeden,' zei hij zacht.

Anna veegde ze af aan de sneeuw en kreunde toen ze om zich heen keek. Ze zag alleen maar wit, met af en toe een donkere vorm, rotsen en bomen. 'Ik kan niets zien,' piepte ze ontsteld.

'Laten we teruggaan,' zei hij.

'Nee,' sputterde Anna tegen. 'We moeten naar de politie.'

'Hoe wil je dat doen, Anna? Je bent zowat blind zonder je bril. Het is levensgevaarlijk. Dit is onverantwoord. Dit moet nu stoppen. We gaan terug. Geen gemaar. Hou je maar aan mij vast,' zei hij.

Zwijgend pakte ze de achterkant van zijn jas vast en zo strompelden ze de weg terug die ze gekomen waren. Bij het chalet aangekomen haalde Eric de hond van de deur en legde hem afgedekt in de schuur.

Ze bleven twee dagen, totdat de sneeuw gesmolten was en het eindelijk weer mogelijk werd om te rijden. Het beetje eten dat ze bij zich hadden gehad, was helemaal op.

In Grenoble zette Eric Anna mokkend voor het politiebureau af. 'Ik zie niet in waarom je aangifte moet doen, Anna!' zei hij.

Verbouwereerd keek Anna hem aan. 'Pardon? Was ik soms alleen dit weekend? Je weet toch dat het niet normaal is wat er gebeurd is?'

'Anna, het was waarschijnlijk gewoon een gemene streek van een boer uit de buurt. Misschien heeft iemand ruzie met de verhuurder van het chalet of willen ze geen toeristen in de buurt en hebben ze de hond gebruikt als afschrikmiddel. Je weet niet wat er hier allemaal speelt. Ik beloof je plechtig dat ik het bij de verhuurder zal melden.' Hij greep Anna's handen vast en keek haar bijna smekend aan. 'Het pakte naar uit door wat jij eerder hebt meegemaakt, Anna, maar maak het nu niet groter dan het is. Alsjeblieft?'

'Toch ga ik aangifte doen.'

'Ik ga niet met je mee,' zei hij.

Plotseling begon het bij Anna te dagen waarom hij pertinent bleef weigeren om aangifte te doen. Hoe kon ze toch zo naïef zijn? Hij was getrouwd en wilde natuurlijk geen gedoe. Ze verbeet haar boosheid, ging het politiebureau binnen en deed zo gedetailleerd mogelijk aangifte. Ze sprak echter weinig Frans en de agent al helemaal geen Engels. Wat ze uiteindelijk begreep, was dat de Franse politie er niet veel aan kon doen. Ze zouden naar het chalet gaan om de hond op te halen en uit te zoeken van wie het dier was. Niet meer dan dat. Er was geen dreigement geuit, er was tegen hen geen geweld gebruikt. Het zou geen grote zaak zijn.

19

Ewoud

Ewoud fietst in een rustig tempo door de brede lanen van de villawijk. In gedachten verzonken neuriet hij een vrolijk melodietje. Hij denkt aan Suus. Nu ze weet waar hij woont, komt ze regelmatig langs met een tas vol boodschappen. Ze kookt heerlijk en soms biedt ze zichzelf daarna aan als dessert. Laatst had ze ananasringen op haar borstjes gelegd en hem met ondeugend glinsterende ogen een spuitbus slagroom overhandigd. Hij glimlacht tevreden. Leuke meid, die Suus. Als ze bij hem is lijkt alles wat lichter en, nog belangrijker, slaapt hij soms de hele nacht aan één stuk door.

Er steekt een kil windje op. Hij begint wat harder te trappen. 'I have got to leave this town, leave this town tonight,' neuriet hij zacht. Na een paar herhalingen beseft hij welk liedje hij zingt. Is hij al zo gehersenspoeld? Je zou bijna gaan denken dat hij zijn stalker mist, want op zijn nieuwe telefoon is hij tot nu toe nog niet lastiggevallen.

Hij denkt weer aan Suus en aan de manier waarop ze zijn leven is binnengedrongen. De vrouw moet haast wel smoorverliefd op hem zijn. Al met al ziet het ernaar uit dat hij een relatie heeft en dat is eigenlijk niet de bedoeling. Maar, redeneert hij praktisch, misschien beschouwt de rechter het als een pluspunt dat er nu een vrouw in zijn leven is. Dat duidt toch op een zekere stabiliteit? Een leuke, jonge vrouw als Suus begint heus geen relatie met een agressieve psychopaat. Die gedachte beurt hem op. Misschien is de komst van Suus wel veel belangrijker dan hij ooit had kunnen vermoeden.

Zijn rug begint weer pijn te doen. Hij vist zijn pijnstillers uit zijn zak en slikt er twee tegelijkertijd door met water uit zijn bidon. Vandaag mag hij weer een pakketje afleveren bij die beeldschone vrouw in de villa. Die dame is zo perfect dat hij zich moet inhouden om haar niet aan te staren. Een goddelijk lijf, glanzend donker haar, een klassiek gezicht, en het allerbeste: smaragdgroene ogen van een intensiteit die hij nog nooit eerder zag. Helaas kijkt ze hem amper aan als hij voor haar deur staat. Hij is slechts een bezorger, een van die vele doodgewone aardbewoners die godinnen zoals zij niet eens opmerken.

Misschien als hij haar in betere tijden had ontmoet... Snel verdringt hij die gedachte. Van deze dame zou hij alleen maar nerveus worden. Hij heeft veel meer aan een lieve, zorgzame meid als Suus.

Ewoud moet hard afremmen voor het grindpad. Hij is al een keer bijna onderuitgegaan op deze verraderlijke steentjes. Kreunend stapt hij af. 'Kom op, pilletjes,' smeekt hij zacht, 'doe je werk.' Dan kijkt hij verwachtingsvol omhoog. Waar zou ze wonen? Aan het aantal deurbellen kan hij afleiden dat het huis is verdeeld in appartementen. Net voordat hij de kans krijgt om aan te bellen, gaat de zware houten deur open. Een grijzende dame met een fikse haakneus kijkt met een ongeïnteresseerde blik naar hem op.

'Ik heb een pakketje voor mevrouw De Wit.'

'Geef maar, ik zal het aan haar overhandigen.'

'Dat is heel vriendelijk van u, maar ik moet het haar persoonlijk geven.'

De vrouw fronst haar wenkbrauwen. 'Ze is er niet.'

Ewoud kijkt nog een keer op de pakbon. Er staat een uitdrukkelijke instructie op dat hij het pakket alleen aan mevrouw De Wit zelf mag geven.

'Ze moet zelf tekenen voor ontvangst.'

'Dan moet u het naar haar werk brengen. Ze is architect. Ze werkt bij Frank Verhulst Architects in het centrum.'

Ewoud kijkt op bij het horen van die naam. Verhulst, Hollands trots op architectuurgebied. Dan moet ze wel een topper zijn. Hij is onder de indruk. 'Het kantoor zit op de Singel, toch?'

'U bent goed op de hoogte, meneer.'

'Oké, dan fiets ik daar wel even heen.' Voordat de oudere dame de deur sluit, vangt Ewoud nog een glimp op van een statige donkere hal en brede trap gedecoreerd met mooie ornamenten. De natuurlijke habitat van zijn godin. Eventjes laat hij zijn gedachten gaan, maar hij herpakt zich snel en duwt moeizaam zijn fiets voort over het grind. Een hoestbui komt op. Misschien moet hij toch eens overwegen om te stoppen met roken. Als hij op straat weer op zijn fiets wil stappen, gaat zijn telefoon. Hij schrikt ervan. Op het schermpje ziet hij een nummer dat hij niet kent. Met bonzend hart neemt hij op. 'Ja?'

'Papa, ben jij het?'

Ewoud kan amper geloven wat hij hoort. 'Anouk, lieverd, wat ben ik blij dat je belt.'

'Mama mag niet weten dat ik je gebeld heb. Ik heb je nummer opgezocht in haar telefoon en bel je nu bij een vriendinnetje. Slim hè?'

'Heel slim, lieverd.'

'Papa, gaan we nog een keer samen naar de speeltuin?'

'Natuurlijk. Maar dat zullen we wel eerst aan mama moeten vragen.'

'Van mama mag het niet. Ze zegt dat jij ziek bent in je hoofd en stoute dingen doet.'

Ewoud denkt koortsachtig na over een goed antwoord, maar dan klinkt het stemmetje van zijn dochter alweer.

'Ben je ziek, papa?'

'Nee, schat. Ik ben niet ziek. Omdat ik jou van mama niet meer mag zien ben ik alleen soms een beetje verdrietig en boos.'

'Ik ook, papa. '

'Dan zijn we allebei een beetje verdrietig.'

'Wanneer kom je me ophalen voor de speeltuin? Krijg ik dan ook een ijsje?'

'Je krijgt er twee! En je hebt ook nog een cadeautje voor je verjaardag te goed.'

'Joepie! Zullen we morgen gaan?'

'Ik moet even heel goed nadenken. Kun je me morgen weer proberen te bellen zonder dat mama het merkt?'

'Ik zal het proberen.'

'Ik zorg dat ik dan een plannetje heb. Niets tegen mama zeggen, hè? Het is ons geheimpje. Beloof je me dat?'

'Ja, pappie!'

'Ik hou van je, Anouk.'

Als de verbinding verbroken is, voelt Ewoud zich wat slapjes. Hij gaat op de grond tegen het hek van de villa aan de straatkant zitten. Na een paar minuten diep nagedacht te hebben, weet hij wat hij moet doen. Hij haalt een paar keer diep adem en belt Suus.

Ze klinkt aangenaam verrast. 'Dag, lieverd! Wat leuk dat je me eens uit jezelf belt!'

'Dag, Suus.' Hij aarzelt even. 'Ik bel je omdat ik graag eens iets voor jou wil doen. Daarom wil ik je vanavond mee uit eten nemen. Om je te bedanken voor alles wat je voor me doet... En om je iets belangrijks te vragen.' Die laatste zin kwam er wat sneller uit dan de rest.

Even is het stil aan de andere kant van de lijn. 'Iets belangrijks? Natuurlijk ga ik mee.'

'Tot straks dan!'

Wanneer Ewoud in hoog tempo koers zet richting het centrum, woedt er een storm in zijn hoofd. Ook als hij de receptionist van FVA vraagt Anna de Wit te bellen, is hij er nog niet met zijn gedachten bij. Pas als Anna in haar volle pracht de ontvangstruimte binnenstapt, komt hij weer bij zijn positieven. Ze draagt een strakgesneden mantelpakje met daaronder genadeloze stilettohakken. Hij voelt het kriebelen in zijn buik.

'U hebt een pakketje voor me?' vraagt ze met een fluwelen stem.

Ewoud knikt gedwee. 'Even tekenen, alstublieft.' Gefascineerd kijkt hij naar de kleine handen waarmee ze een krachtige handtekening plaatst op zijn pakbon. Ze draagt geen trouwring.

'Het pakketje, alstublieft?' vraagt Anna, terwijl ze hem afwachtend aankijkt.

'Maar natuurlijk, mevrouw,' zegt Ewoud besmuikt lachend terwijl hij zenuwachtig in zijn rugzak grabbelt op zoek naar de vierkante doos die voor haar bestemd is.

'Wat zou daar toch in zitten?' vraagt Anna als ze de doos van hem aanneemt. Ze kijkt hem een beetje plagerig aan.

Ewoud raakt in verwarring. Flirt ze met hem? 'Maak open en je komt erachter,' antwoordt hij veel botter dan de bedoeling was. Hij haast zich om er wat vriendelijkers aan toe te voegen.

'Ik ben slechts de bezorger, mevrouw.'

'Maar natuurlijk,' zegt ze. 'Bedankt, hoor!' Zonder nog een blik op hem te werpen, draait ze zich om en loopt heupwiegend richting de lift. Ewoud staart haar na, totdat een beleefd kuchje van de receptionist hem erop wijst dat het tijd is om verder te gaan.

Die avond draagt Suus een mooi groen jurkje dat de kleur van haar ogen en het rood van haar haren prachtig doet uitkomen. Ewoud draagt een wit overhemd en een bruine broek die hij vond in een stapel pasgewassen en gestreken kleding in zijn kast.

Een beetje onwennig lopen ze hand in hand door de drukke straten in het uitgaanscentrum. 'Misschien is dit iets,' zegt Suus aarzelend wijzend naar een morsig ogend Grieks restaurant. Spijtig kijkt Ewoud naar het chique restaurant aan de overkant. Hij zou er veel voor overhebben om weer eens echt goed uit eten te gaan en te genieten van uitgekiende smaakcombinaties van verfijnde gerechten: ganzenlever, kalfszwezerik, kreeft, oesters... Het water loopt hem in de mond.

Suus knijpt in zijn hand. 'Je staat weer te dromen, Ewoud,' zegt ze zacht.

Hij glimlacht treurig naar de nieuwe vrouw in zijn leven die van zoveel dingen geen weet heeft. *Back to reality*, vermant hij zichzelf. Op naar de Griekse vreetfabriek.

Gelaten laat hij zich meetronen naar het overdadig uitgedoste restaurant waar ze van een overdreven vrolijke ober een plekje voor het raam toegewezen krijgen zodat ze een goed zicht hebben op het passerende uitgaanspubliek. Suus nipt aan haar ouzo en bestudeert de kaart zorgvuldig. 'De huisschotel, alstublieft,' mompelt Ewoud als de ober hun bestelling opneemt en een geopende fles Retsina op tafel zet. Hij hoopt maar dat ze op de schotel die de naam van het restaurant draagt extra hun best doen. Ewoud neemt een paar flinke slokken van de goedkope harswijn en luistert met een half oor naar Suus, die vertelt over haar baan bij de administratie van de universiteit. Hij snakt naar een sigaret. Hoe kan hij haar bij zijn plannen betrekken zonder te veel los te laten? Ze zal willen weten waarom hij zijn dochter niet meer mag zien. Wat moet hij haar vertellen?

Vanuit zijn ooghoeken ziet hij de mensen passeren in de drukke uitgaansstraat. Een clubje luidruchtige mannen staat midden op straat te praten en verspert daarmee de weg voor de anderen. Zo te zien hebben ze al flink geprofiteerd van het happy hour. Wanneer een van die mannen zich omdraait en naar het restaurant wijst, gaat er een schok door Ewoud heen. Hij kent die man. Ewoud krimpt ineen. Niet hierheen, niet hierheen komen, smeekt hij in zichzelf. Maar tot zijn afschuw ziet hij de hele club aanstalten maken om naar het restaurant te gaan waar hij zich als een kat in het nauw bevindt. Natuurlijk gaan ze naar de Griek, bedenkt hij, ze zijn bezopen, hun vrouwen zijn er niet bij. Niets beter dan een groot stuk vlees met veel knoflook om de drank tot bedaren te brengen. Hij hoort het zijn voormalige collega's zo zeggen. Hij ontwaart meer bekende gezichten. Dit is een nachtmerrie. Ewoud grist de menukaart die de ober gelukkig heeft laten liggen van tafel en houdt hem voor zijn gezicht.

'Wat doe je nu?' vraagt Suus verbaasd.

'Niets vragen,' zegt Ewoud kortaf. 'Die kerels die hier zo meteen binnenkomen, wil ik absoluut niet ontmoeten. Dus kijk niet op of om. Zodra het kan, loop ik naar buiten.'

'Maar we hebben het eten al besteld,' zegt Suus verbouwereerd.

'Maakt niet uit. Geen toestanden maken. We betalen gewoon.' Ewoud haalt zijn portemonnee uit zijn broekzak en duwt hem Suus in handen. De restaurantdeur wordt open-gegooid en een voor een komen de duidelijk aangeschoten mannen luid lachend en pratend binnen. Ewoud duikt zo diep mogelijk weg achter zijn menukaart. Het liefst was hij onder tafel gekropen. 'Niet naar ze kijken, Suus,' sist hij paniekerig.

Tot zijn opluchting leidt de geroutineerde ober het gezel-schap snel en efficiënt naar een tafel achter in het restaurant. Niemand let op hen. Zodra de laatste hem is gepasseerd, springt Ewoud op, pakt zijn jas van de stoel en rent naar bui-ten. Daar wacht hij om de hoek totdat Suus een minuut of tien later ook naar buiten komt met een grote plastic tas in haar handen.

'We moesten alles betalen,' zegt ze als ze hem zijn porte-monnee teruggeeft. 'Dus heb ik alles maar in laten pakken.'

'Goed geregeld, Suus,' zegt hij. 'Kom, we gaan naar huis.' Zwijgend loopt Ewoud de straat uit. Suus loopt achter hem aan.

'Ga je me nog uitleggen wat er zojuist gebeurd is?' vraagt ze als ze later naast elkaar op de bank bij Ewoud thuis het eten verorberen.

'Het spijt me heel erg van daarnet, Suus. Maar er zijn be-paalde dingen die ik je niet kan vertellen.' Suus kijkt hem onderzoekend aan. Voor het eerst ziet hij iets hards in haar ogen.

'Nooit?'

'Misschien later.'

'Je bent toch geen crimineel of seriemoordenaar, hè?' vraagt ze na een paar minuten zwijgen.

Ewoud grinnikt. 'Ik hoop het niet voor jou.'

'Goed dan. Ik wacht wel tot je zover bent.'

Ewoud geeft haar opgelucht een zoen op haar wang.

'Maar je had een vraag voor me, zei je vanmiddag.' Haar ogen kijken hem hoopvol aan.

'Tja, dat komt nu vast een beetje raar over, maar ik wil vragen of je me wilt helpen met mijn dochter.'

'Dochter?'

'Ja, ik heb een kind,' antwoordt Ewoud en hij begint te vertellen.

20

Lisa

Als ze eindelijk met een glas wijn voor de televisie neerploft, wordt ze onmiddellijk overmand door een zware vermoeidheid. Haar hoofd voelt alsof ze een te strakke helm heeft opgezet. Met haar ogen dicht ademt ze een paar keer diep in en uit en probeert haar nekspieren te ontspannen. Ze zou op dit moment alles geven voor een massage van Wim. Zijn stevige handen te voelen die haar vastzittende nekspieren vakbekwaam loskneden, waardoor de hoofdpijn even naar de achtergrond zou verdwijnen. Vroeger zag hij het onmiddellijk aan haar als ze een zware dag had gehad en masseerde hij haar ongevraagd. De laatste jaren gebeurde het nog maar zelden dat hij spontaan in actie kwam. Vreemd hoe juist partners die elkaar zo goed kennen dit soort signalen niet meer van elkaar kunnen of willen oppikken. Het 's avonds doorwerken, de vele etentjes, recepties en borrels eisten hun tol. Meestal kwam ze dodelijk vermoeid en gestrest thuis als ze weer een avond tussen de hielenlikkers had doorgebracht. Hoe hoger in de top, hoe eenzamer je wordt, had haar mentor haar voorgehouden toen ze nog jong en ambitieus was. Destijds leek dat haar slechts een luxeprobleem, maar Lisa beseft dat ze inmiddels precies weet wat hij bedoelde en dat het een flinke wissel op je trekt. Ze haat de geforceerd beleefde gesprekken met mensen die iets van haar willen, maar dat niet expliciet vragen. Ze verafschuwt de keurende ogen die ze altijd in haar rug voelt prikken, maar die zich snel afwenden als zij terugkijkt. Maar dat vindt ze minder erg dan het onoprechte gevlei van de carrièremakers die haar zonder pardon opzij zouden duwen als ze de kans zouden krijgen. Op de receptie van vanavond cirkelde een nieuwe manager om haar heen als een hinderlijke vlieg. Hij greep iedere gelegenheid aan om haar te vertellen wat voor geweldige, vernieuwende ideeën hij had en hoe het bedrijf daarvan zou kunnen profiteren. Lisa hoorde hem in eerste instantie geduldig aan, ze hield wel van wat bravoure, maar al na vijf minuten prikte ze genadeloos door de façade heen. Praatjes vullen geen gaatjes. Hoe had deze fantast zich in godsnaam bij haar bedrijf naar binnen kunnen werken? Meestal was Lisa persoonlijk aanwezig bij de sollicitatiegesprekken voor de zwaardere managementfuncties, maar bij deze man was dat er door alle toestanden thuis bij ingeschoten. Ze zucht diep. Weer een bewijs dat je de touwtjes altijd strak in handen moet houden. Hoe moest ze van deze kerel afkomen? Soms besprak ze dit soort zaken met Wim, de enige die haar voor haar gevoel een echt objectief oordeel kon geven, maar het telefoongesprek dat ze zojuist met hem gevoerd had, was niet prettig geweest. Hij vertelde enthousiast over zijn werk, de supergemotiveerde Amerikaanse studenten en de kitscherige inrichting van zijn huurappartement, maar informeerde amper naar hoe zij het redde thuis. En dat was nou juist het probleem: zo goed ging het niet. Na een geweldige start bleek Bas toch minder bekwaam dan hij haar had doen geloven. Met de kinderen kon hij prima overweg, maar het huishouden was een ramp. Het eten smaakte nergens naar, het wassen en strijken ging helemaal mis, om over het schoonmaken maar niet te spreken. Tot overmaat van ramp was gisteren haar portemonnee met daarin al haar bankpasjes spoorloos verdwenen. Ze zette het hele huis op zijn kop, maar hij was volstrekt onvindbaar. Toen ze Bas er uiteindelijk naar vroeg, kleurden zijn wangen dieprood.

Vanochtend was Bas niet komen opdagen. Zijn telefoon nam hij niet op en ook het bemiddelingsbureau kon niet vertellen waar hij uithing. Lisa kon zichzelf wel voor haar hoofd slaan om haar naïviteit. Toen ze aangifte deed op het kleine politiebureau in het dorp, trof ze de agent die ook Haralds kortstondige verdwijning had afgehandeld.

'Mevrouw Van Ostade, eerst zien we elkaar nooit en nu twee keer in de maand,' zei hij vriendelijk, terwijl hij haar uitnodigde om plaats te nemen in een klein, kaal kamertje waar slechts een tafel, twee stoelen en een computer stonden. Hij voerde de informatie tergend langzaam in, typend met twee vingers. Uiteindelijk overhandigde hij haar de geprinte aangifte met een simpele mededeling: 'Die moet u opsturen naar de bank.'

'Hoe gaat het verder?' wilde Lisa weten.

'Ik neem contact op met het bemiddelingsbureau voor de gegevens van Bas en dan zullen we hem eens gaan opzoeken om te kijken wat hij te vertellen heeft.'

Lisa knikte berustend. Ze had de bankpasjes gisteravond al geblokkeerd en daarbij gehoord dat er geen geld was opgenomen. Maar ze baalde wél verschrikkelijk dat ze moest wachten totdat ze nieuwe pasjes kreeg. Ze had amper contant geld in huis.

'Hoe gaat het met uw zoon?'

'U bedoelt Harald?'

'Degene die toen even verdwenen was. Raar verhaal was dat trouwens...'

'Inderdaad. Het gaat naar omstandigheden goed. Hoewel... hij was net een beetje gewend aan Bas en die is nu weer vertrokken. Het valt niet mee voor hem om aan nieuwe mensen te wennen.'

De agent knikte begripvol en liep met haar mee naar de deur. Ze nam afscheid en had niet de indruk dat haar verdwenen portemonnee hoog op zijn prioriteitenlijstje stond. Het bemiddelingsbureau stuurde aan het einde van de ochtend een wat oudere dame langs die niet te beroerd was om aan te pakken en die al meteen kon beginnen. Een geluk bij een ongeluk. Lisa instrueerde haar snel en was 's middags nog voor een paar uurtjes naar kantoor gereden. Na school reageerden Franka en Henry teleurgesteld dat Bas er niet meer was. Toen ze de boodschap een paar uur later ook aan Harald doorgaf, ging hij direct naar zijn kamer. Omdat de nieuwe huishoudster, een alleenstaande dame die lang had ingewoond bij een rijke zakenfamilie, meteen bereid was om die avond op te passen, kon Lisa toch nog naar de afscheidsborrel van een geliefde collega die met pensioen ging. Ze wist dat haar personeel het haar niet snel zou vergeven als ze daarbij niet kwam opdagen. Zeker in deze woelige tijden van reorganisatie moest ze regelmatig haar betrokken, sociale kant laten zien.

Lisa nipt van haar wijn en denkt terug aan de egocentrische reactie van Wim aan de telefoon, terwijl zij juist wat opbeurende woorden had kunnen gebruiken. Het irriteert haar dat Wim automatisch van haar verwacht dat ze het allemaal wel draaiende houdt thuis. Met de hulp van personeel kan ze veel, maar niet alles.

'Wat een dag,' mompelt ze, terwijl ze haar benen strekt. Ze neemt nog een slokje wijn en zapt langs een detective, een praatprogramma en een quiz. Niets kan haar echt boeien. Boven hoort ze het geluid van een wc die doorgetrokken wordt. Henry waarschijnlijk, het kind heeft zo'n klein blaasje dat hij er iedere nacht wel een paar keer uit gaat. Lisa sluit haar vermoeide ogen. Door alle toestanden had ze weer veel te weinig kunnen doen op het werk. De advocaten hadden het concept voor het aangepaste voorstel voor de voorlopige schadevergoeding klaar en ze had amper de tijd gehad om er goed naar te kijken. Het eerste voorstel dat ze gedaan hadden, was een paar maanden eerder afgewezen door de advocaten van de tegenpartij. Ze noemden het een schandalig laag aanbod. Het nieuwe bod was niet veel hoger, maar haar advocaten hadden haar verzekerd dat dat allemaal bij het spel hoorde en dat het al met al een zeer acceptabel en sociaal bod was. Lisa had soms haar twijfels, maar ging er maar van uit dat ze wisten wat ze deden. Ze had deze specialisten niet voor niets ingeschakeld, bovendien betaalde ze er goed voor.

Weer wordt boven de wc doorgetrokken. Ze hoort wat zwaardere voetstappen dan daarnet. Harald, concludeert ze terwijl ze weer een slokje wijn neemt. Misschien is hij wel zo overstuur door het vertrek van Bas dat hij niet kan slapen. Aan zijn gezicht valt meestal niets af te lezen, maar het zou niet de eerste keer zijn dat haar eerstgeborene aan de diarree raakt van een verandering in zijn leven. Toch maar even gaan kijken, besluit ze. Zachtjes loopt ze de trap op. Als ze de hoek om komt ziet ze dat de badkamerdeur op een kier staat. Het licht is nog aan. Lisa klopt op de deur.

'Harald, ben je daar?' vraagt ze zacht. Geen reactie. Ze duwt de deur verder open, in de verwachting haar oudste met een bleek gezicht op het toilet te zien zitten, maar de badkamer is leeg. Lisa loopt verder naar Haralds kamer, die zich aan het einde van de overloop bevindt. De deur is gesloten. Voorzichtig beweegt ze de klink omlaag. Op het kleine Winnie de Poeh-bedlampje na is het er donker. Harald ligt opgerold onder zijn dekbed. Op haar tenen loopt ze naar hem toe. Harald woelt een beetje.

'Kun je niet slapen?' Even is het stil, maar dan hoort ze zijn stemmetje.

'Nee mama.'

Lisa trekt het dekbed van zijn hoofd en kijkt hem vragend aan. 'Kan ik iets voor je doen?'

'Ik heb een beetje buikpijn.'

'Ben je een beetje in de war omdat Bas weg is?'

'Waarom is hij weg?'

'Hij moest iets anders doen, denk ik.'

'Waarom komt Jasja niet terug?'

'Zij moet bij haar moeder blijven, want die is ziek.'

'Iedereen is weg: papa, Jasja, Bas.'

'Dat klopt. Maar mevrouw Kierkenboom is er nu om voor jou te zorgen. Vind je haar lief?' Het blijft even stil voordat er een antwoord komt. 'Ik vind Victor liever.'

'Victor? Wie is Victor?'

'Mijn vriend. Hij weet alles over World of Warcraft.'

'Hoe bedoel je?'

'Dat ken je toch wel, mama? Dat is een computerspel.'

Langzaam schudt Lisa haar hoofd. De naam van het spel komt haar wel vaag bekend voor, maar ze heeft geen flauw idee wat voor iets het is.

'Zit Victor bij je op de opvang?'

'Nee, ik speel soms met hem.'

'Wat bedoel je?'

'World of Warcraft.' Harald gaat overeind zitten. 'We horen allebei bij de Horde, maar hij is een undead en ik een trol. We vechten samen in Azeroth tegen de Alliance. Dat zijn de dwarves, gnomes, humans en night elves.'

Het duizelt Lisa van al die namen. Hoe moet ze reageren?

Harald heeft nog nooit een vriendje mee naar huis genomen. Zou hij een fantasievriendje hebben? Daar is hij toch onderhand een beetje te oud voor? Dan schiet haar iets te binnen. 'Ontmoet je hem op de computer? In het spel?' Lisa heeft wel eens wat gelezen over de virtuele werelden waarin die spellen gespeeld worden. Ze zou eens moeten informeren bij die aardige jongen van de ict-afdeling die haar altijd helpt met haar computer, wat voor spel dat is waar Harald over praat. En dan vooral of het kwaad kan.

'Ja, mama, we spelen samen op de computer.'

'O, nu begrijp ik het.' Ze geeft hem een aai over zijn stugge haren. Zijn bleke gezicht klaart op. Het treft haar dat hij al zo groot geworden is. Zijn jongensstemmetje past niet meer bij zijn lichaam. Het zal waarschijnlijk niet lang meer duren voordat hij de baard in de keel krijgt. Wat haar betreft mag dat nog wel even wachten.

'Denk je dat je nu kunt gaan slapen, lieverd?'

'Ik denk het wel, mama.'

Ze geeft hem een kus en draait zich vertederd om. Die spaarzame momenten waarop Harald open en lief is, voelen voor haar als een onverwacht geschenk. Net voordat ze de kamer wil uitlopen, hoort ze zijn stemmetje weer.

'Mama, moet Victor niet eerst naar huis?'

'Wat zeg je?'

'Victor is nog steeds niet teruggekomen van de wc.'

Lisa's hart bonkt in haar keel. 'Wat bedoel je? Was er net iemand in je kamer?'

'Dat zei ik toch, mama. Victor is hier.'

Lisa's oog valt op het knipperende lampje van de computer, teken dat hij nog aanstaat. 'Je bedoelt dat je op de computer met hem gespeeld hebt? Jij hier en hij daar, waar hij ook mag zijn...'

'Nee, mama, hij is hier.'

'In huis?'

Harald kijkt haar zwijgend aan met zijn emotieloze ogen. Lisa heeft het gevoel alsof haar keel samengeknepen wordt. Onmiddellijk knipt ze het grote licht aan en scant de kamer. Niemand. Paniekerig zoekt ze naar iets waar ze mee kan slaan. Verdomme, een normale puber heeft een hockeystick of honkbalknuppel op zijn kamer liggen, maar bij Harald liggen er alleen maar heel veel lego en computerspelletjes. Ze trekt aan de stekker van zijn bureaulamp, grist hem van tafel en pakt hem vast als een slagwapen. Harald kijkt haar verbaasd aan.

'Blijf daar,' sist ze. Behoedzaam loopt ze naar de deur, voorbereid op het ergste. Ze tast langs de muur naar de lichtknop van de lamp op de overloop. Hebbes. Het licht gaat aan. De overloop is leeg. Ze ziet dat het licht in de badkamer nog steeds aan is, maar haar eerste prioriteit ligt bij de kamers van Franka en Henry. Op haar tenen sluipt ze naar de slaapkamer van Henry tegenover Haralds kamer. De deur piept als ze hem opent. Door het invallende licht van de overloop kan ze zien dat Henry in bed ligt. Snel scant ze de kamer. Niemand. Ze snelt op hem af en voelt aan zijn gezicht. Zijn gelijkmatige, rustige ademhaling stelt haar gerust. Naar Franka toe! Haar kamer ligt aan de andere kant van de overloop tegenover de ouderlijke slaapkamer. Hoewel Lisa het liefst zou rennen, sluipt ze voorzichtig op haar tenen over de eindeloos lijkende overloop naar de kamer van haar dochter. Als ze een blik in de badkamer werpt, stokt haar adem als ze daar in de spiegel een schim voorbij ziet rennen. Met bonzend hart doet ze de badkamerdeur verder open. Er is niemand in de steriele, witbetegelde ruimte, op haar eigen grauwe, angstige gezicht in de badkamerspiegel na. Ga naar Franka's kamer, commanderen haar hersenen haar. Ze spiedt over de overloop en zet koers naar haar jongste. Naarmate ze dichter in de buurt van de kamer van haar dochter komt, wordt haar ademhaling steeds gejaagder. Daar in die roze prinsessenkamer slaapt het liefste, onschuldigste en vrolijkste wezentje van de hele wereld. Laat er alsjeblieft niets gebeurd zijn. Lisa weet zeker dat ze dat niet zou overleven. Met ingehouden adem opent ze de slaapkamerdeur. Door het invallende licht van de overloop kan ze zien dat ook Franka rustig in haar bedje ligt te slapen. Lisa's knieën knikken en ze moet even steun zoeken tegen de muur.

Daarna doorzoekt Lisa minutieus het huis, van de zolder tot aan de begane grond. Ze trekt alle kasten open, kijkt in alle hoekjes en onder de bedden. Er is niemand te bekennen. Beneden controleert ze alle sloten. Alles zit op slot. Wanneer ze ook de knip op de voordeur heeft gedaan, draait ze zich opgelucht om. Ze schrikt enorm van de bleke, gebogen gestalte die pal voor haar staat.

'Harald, stond je daar al lang?' zegt ze terwijl ze haar kalmte probeert te hervinden.

Hij reageert niet op haar vraag en kijkt met die rare ont-wijkende blik langs haar heen naar de voordeur. 'Is Victor weg?' vraagt hij.

Lisa laat zich op de trap zakken en begint te huilen.

21

Anna

Glimlachend loopt Anna terug naar haar kantoor. Ze geniet van die kleine onschuldige flirtpartijtjes zoals zojuist met de fietskoerier die een pakketje voor haar had afgeleverd. Aan zijn verwarde reactie had ze gemerkt dat hij onder de indruk was van haar. Grappig vindt ze dat. De meeste mannen met wie ze omgaat, laten zich minder snel kennen. Op Eric na. Hij blijft maar bellen en mailen. Ze overweegt zelfs een ander telefoonnummer te nemen, want ze wordt doodmoe van zijn spijtbetuigingen en gesmeek om een nieuwe ontmoeting. Wat haar betreft is het voorbij.

Wanneer ze Franks kantoor passeert, ziet ze door de glazen wand dat hij geanimeerd in gesprek is met een elegante vrouw van middelbare leeftijd die ze herkent als Lisa van Ostade, de directeur van luchtvaartmaatschappij NLM. Toen Anna haar een paar jaar geleden voor het eerst ontmoette op een bijeenkomst van het vrouwennetwerk waar ze zich bij aangesloten had, was ze diep onder de indruk geraakt van de professionaliteit van deze vrouw, die tot de absolute top van het Nederlandse zakenleven behoort. Tot haar verbazing toonde Lisa zich een belangstellende, warme vrouw met een grote interesse voor architectuur. Dikke vriendinnen kon je hen niet noemen, daarvoor was het leeftijdsverschil vermoedelijk te groot en waren ze beiden te druk bezig met hun carrière, maar het klikte wel.

Anna tikt even tegen het raam en steekt haar hand op. Lisa zwaait vriendelijk terug. Je kunt aan haar zien dat ze macht heeft, vindt Anna. Los van haar onberispelijke uiterlijk heeft Lisa die benijdenswaardige, rustige, zelfzekere uitstraling die hoort bij vrouwen van een bepaalde status. Anna kan alleen maar dromen dat ze zelf ooit ook zo wordt.

Misschien heeft ze wel een opdracht voor ons, bedenkt Anna verheugd, maar dan herinnert ze zich dat Lisa zich wel eens heeft laten ontvallen dat zij en haar echtgenoot bevriend zijn met Frank. Het zal wel een vriendschappelijk bezoekje zijn. Bovendien zijn het haar zaken niet.

In haar kantoor bekijkt Anna het vierkante pakketje dat ze zojuist heeft gekregen. Er staat geen afzender op. Ze scheurt het lichtbruine papier los en wrikt met een brievenopener voorzichtig het dichtgeniete deksel van het doosje open. Verbaasd kijkt ze naar een doorzichtige plastic bal. Wat is dat voor een gek ding? Als ze hem uit het doosje pakt, ziet ze dat er een briefje in zit. Op de bal zit een deurtje dat ze kan openklikken. Anna haalt het briefje eruit.

Lieve Anna,
Hierbij een cadeautje voor je hamster! Hierin kan hij vei-
lig rondrennen zonder ongelukken te veroorzaken.
Liefs,
V.

Het is alsof haar bloed een paar graden in temperatuur gedaald is. Wat is dit? Waarom krijgt ze een cadeautje voor een
hamster? Ze heeft helemaal geen hamster. Beduusd gaat ze
zitten. Wat is er aan de hand? Wie is V.? En waarom stuurt
die V. haar een hamsterbal? Ze leest het getypte briefje nog
een keer. Geen ongelukken veroorzaken? Wat bedoelt hij of
zij daarmee? Een onheilspellend gevoel bekruipt haar. Anna's
hart slaat over als het vreselijke besef tot haar doordringt.
Dit is helemaal geen slechte grap. Dit is geen vergissing. Dit
is een geraffineerde actie van iemand die haar doelbewust
pijn wil doen.

Ze staart enkele seconden verbouwereerd voor zich uit.
Dan grist ze haar tas van het bureau, beent het kantoor uit,
haalt haar zwarte Golf uit de parkeergarage en rijdt zonder
acht te slaan op de snelheidslimiet naar het huis van haar
zus. 'Maria, wees alsjeblieft thuis,' smeekt ze zacht.

De neiging om haar huissleutel te gebruiken weerstaat ze
en ze belt netjes aan. Terwijl ze staat te wachten, probeert
ze het getril van haar handen onder controle te krijgen, en als
ze na het verstrijken van tientallen tergend trage seconden
eindelijk het lieve gezicht van Maria in de deuropening ziet
verschijnen, springen de tranen onmiddellijk in haar ogen.

'Anna, wat is aan de hand?'

'Er zit iemand achter me aan, Maria.'

'Wat bedoel je?' Een beetje wantrouwig kijkt haar zus haar aan.

'Eerst Sjaak, toen het chalet en nu die hamstertrainingsbal.'

'Ik kan je niet volgen, lieverd. Kom eerst even binnen.'

Anna gaat zitten aan de glazen tafel in de smetteloze designkeuken, die helemaal niet bij haar zus past, maar des te meer bij Laurens. Met een bezorgde blik schenkt Maria een kopje thee voor haar in.

'Vertel!'

Anna probeert haar ademhaling weer onder controle te krijgen. Haar handen voelen ijskoud aan. Om ze op te warmen, legt ze ze om de mok met warme thee. Ze haalt diep adem en begint, zonder Maria aan te kijken, te vertellen over de gebeurtenissen bij het chalet, om daarna meteen door te gaan met het verhaal over de hamsterbal. Als ze uitverteld is, blijft het even stil.

'Die Eric, is hij...'

Anna knikt schuldbewust. Ze weet dat haar zus affaires met getrouwde mannen afkeurt. 'Het is voorbij, Maria. Ik ben er daarna meteen mee gestopt. Het was een vergissing.'

'Misschien was het zijn vrouw? Misschien is ze erachter gekomen dat hij iets met jou had en heeft ze jullie achtervolgd,' oppert Maria. 'Ik kan me voorstellen dat ze...'

Anna schudt haar hoofd. 'Ik denk het niet, Maria. Het moet iemand zijn die me kent. Iemand die weet hoe hij mij het hardst kan raken. Dat blijkt wel uit dat briefje in die hamsterbal.' Anna voelt de tranen weer opwellen. Ze rilt. Maria staat op en slaat haar arm om haar heen. Anna drukt zich tegen haar zus aan.

'Je weet dat je er niets aan kon doen, Anna,' hoort ze de stem van haar zus zeggen.

Anna schokschoudert. 'Maar als ik die hamster niet had meegenomen, was het niet gebeurd.'

'Je was jong. Je kon de gevolgen niet overzien.'

'Mama vindt ook dat het mijn schuld was.'

'Mama is zichzelf niet meer sinds papa overleden is. Ze mist hem te erg, denk ik.'

'Ik mis hem ook, Maria,' zegt Anna zacht.

'Natuurlijk, lieverd,' antwoordt Maria terwijl ze Anna's haren streelt. 'Dat weet ik toch. Jullie waren twee handen op één buik. Jullie leken zoveel op elkaar. Ik was altijd jaloers dat ik niet papa's donkere haren had.'

'En ik wilde altijd blond zijn, net als jij en mama,' zegt Anna mokkend. Ze neemt nog een slok thee en denkt na. 'Denk je dat hij trots op mij zou zijn geweest?' vraagt ze zacht.

'Dat weet ik wel zeker,' antwoordt Maria. 'Het was zijn grootste wens dat wij zouden studeren en een goede baan zouden krijgen. Jij hebt die belofte meer dan waargemaakt. Dat jij het zover zou schoppen, is waarschijnlijk veel meer dan hij ooit had durven hopen.'

'Hij had zelf ook veel talent, Maria, zijn tekenwerk was van hoog niveau. Hij had alleen de pech dat hij niet verder heeft kunnen studeren en daardoor geen kans kreeg om zich te ontwikkelen tot architect.' Anna zucht diep. 'Ik zou zo graag willen dat hij me kon zien. Dat hij kon zien hoe hard ik werk. Dat de naam De Wit een bekende naam aan het worden is in de architectuur. Misschien zou dat een beetje goed kunnen maken wat ik gedaan heb.'

'Anna, kwel jezelf toch niet zo.'

'Als ik het zelf niet doe, doet iemand anders het wel voor me.'

Zwijgend staren ze naar de plastic bal op de keukentafel voor hen.

'Misschien moet je naar de politie gaan,' oppert Maria.

'Moet ik daar zeggen dat ik bedreigd word omdat ik een hamsterbal heb gekregen?' antwoordt Anna spottend. 'Ze zien me al aankomen.'

'Je hebt toch wel aangifte gedaan in Grenoble?'

Anna knikt.

Maria kijkt haar nadenkend aan. 'Dan weet ik het ook niet meer. Laten we hopen dat het nu stopt. Blijf maar hier slapen vanavond.'

Anna schudt haar hoofd. 'Ik moet me niet bang laten maken, Maria. Dat is hetzelfde als opgeven.'

Als ze een uur later naar huis rijdt, spelen de gebeurtenissen op die afgrijselijke dag uit haar jeugd zich voor de zoveelste keer in haar hoofd af. Ze ziet zichzelf stiekem haar hamster uit het kooitje pakken, in haar jaszak stoppen en bij haar vader in de auto stappen. Hij zit aan het stuur, zij achterin. Ze praten over school. Als ze ontdekt dat Hammie uit haar jaszak is ontsnapt, durft ze niets te zeggen. Een luide vloek klinkt, waarna de auto begint rond te tollen. Anna gilt. Er volgt een harde klap. Water stroomt in hoog tempo naar binnen en de stem van haar vader, die vreemd klinkt, zegt haar dat ze haar veiligheidsriem los moet maken en het raampje verder open moet draaien. Ze gebruikt alle kracht die ze in zich heeft en moet enorm haar best doen om niet in paniek te raken door de kracht van het snel binnenstromende water. Uiteindelijk lukt het. Zo snel ze kan, zwemt ze naar de oppervlakte om daar toe te geven aan het schrijnende verlangen naar zuurstof in haar brandende longen. Op de oever wacht ze totdat haar vader naar boven komt. Mensen met ernstige gezichten komen op haar af rennen, maar er komt geen klank uit haar keel. Ze wijst naar het rimpelloze wateroppervlak waar haar vader ieder moment zal verschijnen. Een paar mensen duiken in het kanaal en keer op keer ziet ze hun vertrokken gezichten weer boven water komen. Maar haar vader niet.

Later hoorde ze dat zijn voet al meteen beklemd was geraakt, waardoor hij geen enkele kans had gehad.

Toen haar moeder enkele dagen na het ongeluk ontdekte dat Hammie verdwenen was, vroeg ze Anna wat er gebeurd was. Huilend biechtte ze alles op. Hoewel haar moeder altijd bleef beweren dat Anna niets te verwijten viel, bleek het tegendeel uit haar kille, afwijzende houding. Anna voelde zich diepongelukkig en onwikkelde zich in de jaren daarna tot een opstandige puber die met haar moeder op voet van oorlog leefde. Toen ze op haar achttiende het huis verliet om te gaan studeren was vermoedelijk iedereen opgelucht.

Anna sprak zelden over deze traumatische gebeurtenis in haar jeugd. Pas als het schuldgevoel haar van binnenuit dreigde te verteren, liet ze wat los. Niet aan de mensen die dicht bij haar stonden, maar aan toevallige minnaars die haar niet kenden en van wie het oordeel haar dus minder zwaar zou moeten vallen. Niemand van hen had ooit tegen haar gezegd dat de dood van haar vader haar schuld was, maar in hun ogen las ze de waarheid.

22

Je kunt me op straat tegen het lijf lopen. Ik zal je misschien niet eens opvallen. Maar mocht dat een keer wel het geval zijn, dan denk ik dat je me zal beschouwen als een geschikte vent. Het type betrouwbare kameraad, liefhebbende echtgenoot, goede vader... Ik kan mensen ontdooien met mijn lach. Ik heb daar lang op geoefend voor de spiegel. Ik knijp mijn ogen een beetje samen, trek mijn linkermondhoek op, laat wat tand zien, maar niet te veel. Ze zouden hun kinderen zo aan me toevertrouwen.

23

Ewoud

De vliegtuigen komen laag over vandaag. Ze maken zoveel herrie dat Ewoud zich amper kan concentreren. Met zijn handpalmen tegen zijn oren ijsbeert hij door de kamer. Goed nadenken nu. Versnipperde beelden jagen door zijn hoofd. Het mag vandaag absoluut niet fout gaan. Bij die mogelijkheid schiet een nare krampscheut door zijn buik die hem dwingt om een sprintje naar het toilet te trekken. Een straal waterdunne ontlasting klettert in de wc-pot. Ewoud vloekt. Voorzichtig dept hij zijn geïrriteerde billen schoon met het harde gerecyclede bruine toiletpapier dat Suus voor hem heeft gekocht. Waarom ze juist daarop moest bezuinigen, is hem een raadsel. Als ze zou kiezen voor een B-merk pindakaas of afwasmiddel zou dat hem niet uitmaken, maar wc-papier moet in zijn ogen van de beste kwaliteit zijn. Twee, of nog beter drie lagen met daartussen zachte luchtkussentjes is een absoluut vereiste. Wankelend trekt hij zich omhoog aan de wasbak en gooit een plens ijskoud water in zijn gezicht. In de spiegel ziet hij een magere man met harde lijnen om zijn mond. Ewoud forceert een glimlach. Dat ziet er beter uit. Wanneer hij zijn mondhoeken weer laat zakken, merkt hij dat zelfs deze kleine krachtsinspanning hem eigenlijk te veel is. Hij is doodmoe. Tot zijn afschuw heeft zijn stalker zijn nieuwe telefoonnummer achterhaald en hem vannacht meerdere malen gebeld. Na een keer of vier schakelde Ewoud de telefoon uit. Gelukkig was Suus wijs genoeg om hem geen vragen te stellen, maar zijn nachtrust was compleet verstoord. Uit pure wanhoop ging hij vliegtuigen tellen en pas nadat voor zijn gevoel het honderdste vliegtuig met donderend geraas over zijn woning was gevlogen, viel hij in een onrustige slaap. Niet veel later werd hij schreeuwend wakker. Het verontruste gezicht van Suus sprak boekdelen. Hij hoopt maar dat hij niet in zijn slaap gepraat heeft.

Hij hoort de voordeur opengaan. Suus is terug van boodschappen doen. Ook zij ziet er bleekjes uit. Een golf van medelijden gaat door hem heen. Vraagt hij niet te veel van haar?

Als ze de boodschappen opgeborgen heeft, klopt hij naast zich op de bank, waar hij is neergeploft. 'Kom eens bij me, moppie.'

Gretig vlijt ze zich tegen hem aan.

'Vind je het eng?' vraagt hij zacht, terwijl hij haar donkerrode haren streelt.

Ze knikt.

'Als je het niet wilt doen, dan stoppen we ermee. Dat weet je.'

'Maar jij hebt zo'n verdriet om je dochter.' Haar stem klinkt dun.

Ewoud zwijgt.

Suus kijkt hem met grote ogen aan. 'Als het aan je ex ligt, zie je haar nooit meer. Je kunt een vader toch niet het contact met zijn dochter ontnemen? Dat is onmenselijk!' Ze klinkt verontwaardigd nu. Suus friemelt aan haar vele armbanden terwijl ze verder praat. 'Als je de kans hebt om even rustig met Anouk te praten, kun je haar er vast van overtuigen dat ze bij de rechter moet zeggen dat ze je graag wil blijven zien.' Ze kijkt hem vastberaden aan. 'We moeten dit doen, Ewoud. Dit is je enige kans.'

Ewoud pakt haar kleine gezichtje tussen zijn handen en geeft haar een lange zoen op haar mond. 'Goed dan. Als je het zeker weet. Laten we het plan nog een keer doorspreken.'

Als hij Suus een uur later samen met zijn dochter de hoek om ziet komen, moet hij moeite doen om zijn tranen te bedwingen. Hij had Anouk verteld dat een lieve mevrouw met rood haar haar van school zou ophalen, maar of dat in de praktijk goed zou uitpakken was natuurlijk afwachten. Kinderen zijn zo grillig. Tot zijn opluchting kletsen en lachen ze samen. Het ziet er heel naturel uit. Anouk draagt een schattig, donkerblauw tuniekje en haar lichtblonde krullen springen vrolijk heen en weer op het ritme van haar pas. Voor het eerst in lange tijd krijgt Ewoud het gevoel dat het misschien nog niet helemaal te laat is. Dat er een kans is dat alles nog goed komt. Hij stapt uit de steeg waar hij zich verscholen hield en glimlacht breed.

Als Anouk hem ziet, rent ze met een grote glimlach op hem af. 'Pappie!' roept ze enthousiast. Ewoud spreidt zijn armen en vol overgave springt ze erin. Hij voelt het kleine, pezige lichaampje terwijl haar magere beentjes zich stevig om zijn middel vastklemmen en moet opnieuw zijn uiterste best doen om niet te gaan huilen. Hij drukt een lange kus op haar voorhoofd. Anouk pakt zijn gezicht tussen haar handen en bestudeert hem aandachtig.

'We hebben dezelfde kleur ogen, pappie,' zegt ze met haar lieve, hoge kinderstemmetje. Ewoud knikt ontroerd. 'En dezelfde haren,' voegt hij eraan toe terwijl hij door haar zachte, blonde krullen woelt en zijn neus in haar nek duwt om die heerlijke, vertrouwde geur van haar warme kinderlijfje op te snuiven. Op dit moment zou hij kunnen sterven van geluk.

Als hij zijn ogen weer opent, vangt hij de zorgelijke blik van Suus op. Ze drentelt nerveus heen en weer.

'Alles goed gegaan op het schoolplein?'

Suus knikt gejaagd. 'Jawel, maar die moeder van dat vriendinnetje keek me wel wat achterdochtig aan. Misschien vertrouwt ze het niet.'

'Maar ze lieten je wel gewoon gaan, toch? Dan zal het toch wel goed zijn?' zegt Ewoud terwijl hij haar hoopvol aankijkt.

Suus opent haar mond alsof ze nog wat wil zeggen, maar sluit hem weer als ze naar Anouk kijkt. 'Je kunt maar beter opschieten,' zegt ze dan.

Met tegenzin zet Ewoud zijn dochter weer op de grond. 'We moeten gaan,' zegt hij tegen Anouk, terwijl hij haar hand pakt. Op zijn hoede speurt hij om zich heen. Het is vrij rustig in de straat. Aan de overkant maken kinderen met stoepkrijt grote tekeningen op het trottoir, in de verte staan mensen te praten.

'Gaan we naar de speeltuin?' vraagt Anouk opgewekt. 'Dan krijg ik twee ijsjes. Toch, pappie? En nog een cadeautje voor mijn verjaardag. Dat heb je beloofd.'

Ewoud knijpt haar glimlachend in haar wang. 'Cadeautje? Welk cadeautje? En is het niet veel te koud voor ijs?'

'Papa,' zegt Anouk quasiboos.

Hij glimlacht breed. 'Grapje, liefje. Natuurlijk krijg jij je verjaardagscadeau nog!'

'Is het een Barbie, papa? Of iets van Hello Kitty?'

'Ik dacht dat jij helemaal niet van meisjesspeelgoed hield.'

Verrast kijkt ze hem aan. 'Gekke papa! Ik ben toch een meisje! Je hebt toch geen lego voor me gekocht?'

Ewoud krabt op zijn hoofd. In de verte klinkt een sirene. 'Kom, we moeten gaan.' Hij kijkt naar Suus, die het tafereeltje van een afstandje gadeslaat. 'Suus, ga maar naar huis. Ik zie je daar!' roept hij naar haar voordat hij Anouk weer bij de hand pakt en er stevig de pas in zet.

'Gaat die aardige mevrouw niet mee?'

'Nee lieverd, deze keer niet.' Hij verhoogt zijn tempo.

'Papa, niet zo snel,' piept Anouk.

'We moeten een beetje opschieten, liefje, we hebben maar heel even de tijd. We moeten veel dingen bespreken. Je moet echt even doorlopen nu.' Met grote stappen beent hij in de richting van het park, Anouk bijna met zich meesleurend.

Plotseling klinkt de sirene dichtbij, hoogstens een huizenblok verderop. Paniekerig kijkt Ewoud om zich heen. Aan zijn rechterkant ziet hij een steegje dat naar een poort bij een huis voert. 'Hierheen,' zegt hij. Zijn ademhaling klinkt gejaagd. Anouk stribbelt een beetje tegen, maar als hij haar streng aankijkt, laat ze zich onmiddellijk als een mak schaap meevoeren. Ewoud voelt aan de poort. Op slot, verdomme! Koortsachtig denkt hij na.

'Hier blijven, schat. Papa moet even iets uitzoeken,' mompelt hij. Ewoud rent terug naar de straat en kijkt om zich heen. Het volume van de sirene is nu constant hard. Het gaat hem door merg en been. Met bonzend hart trekt hij zich weer terug in de steeg. 'Blijf achter me,' fluistert hij tegen Anouk terwijl hij haar de hoek in duwt. Hij spreidt zijn armen en zet zich schrap. Nerveus tuurt hij naar de straat. Er gebeurt niets, maar net op het moment dat hij zich weer wat ontspant, dienen zich in de steeg twee donkere gestaltes aan die dreigend dichterbij komen.

Het beeld komt hem bekend voor uit zijn nachtmerries.

Het is net alsof iemand met een hamer op een stalen balk slaat. Ewoud richt zich op van het harde bed en probeert zich met zijn slaapdronken hoofd te concentreren op de figuur in de deuropening.

'U mag weer naar huis,' meldt een zware mannenstem. Daarna verwijderen de voetstappen zich. De doordringende poeplucht in de kale politiecel doet hem kokhalzen. Als hij rechtop gaat zitten, voelt het alsof zijn rugspieren in brand staan. Hij knijpt zijn ogen samen en ziet bij de geopende deur de spullen liggen die hij gisteren moest inleveren. De dolkstoten in zijn rug zoveel mogelijk negerend staat hij moeizaam op en bekijkt het stapeltje. Zijn telefoon, portemonnee, pijnstillers, sigaretten, jas en veters, alles is er. Hij stopt twee pijnstillers in zijn mond, bijt ze doormidden en slikt ze door. Een bittere smaak vult zijn mond. Terwijl hij de veters weer door zijn schoenen rijgt, denkt hij na over wat er gisteren gebeurd is. Aanvankelijk hadden de agenten geprobeerd hem te overtuigen Anouk aan hen over te dragen, maar toen hij dat weigerde, kwamen ze dreigend dichterbij. Op dat moment ontstond ergens in zijn hoofd kortsluiting. De wanhoop over het feit dat hij nog steeds niet met zijn dochter had kunnen praten over de rechtszaak, overheerste alle ratio die hij nog in zich had. Ewoud gedroeg zich als een dolle stier en was uiteindelijk geboeid afgevoerd naar het politiebureau om daar een nachtje af te koelen in de cel. Daar kreeg hij hevige buikkrampen en raakte in een diepe neerslachtigheid. De nicotineloze nacht bestond uit een aaneenschakeling van flashbacks van de ontmoeting met Anouk aangevuld met de diepe schaamte die hij voelde toen hij voor haar ogen als een crimineel werd weggevoerd.

Als Ewoud die avond het licht in zijn huiskamer aanknipt, schrikt hij zich wezenloos van Suus die met een nors gezicht op de bank zit.

'Suus, schat, ik wist niet...'

'Ik hoorde van de politie dat je vanochtend al was vrijgelaten. Je telefoon stond niet aan. Was je me vergeten?'

Ewoud denkt aan de tien berichten die zijn voicemail die

ochtend aangaf en zijn laffe besluit om er niet naar te luisteren. Hij had er eerlijk gezegd niet eens bij nagedacht dat ze ook van Suus zouden kunnen zijn.

'Sorry.'

'Waar kom je vandaan?'

'Ik ben de stad in geweest. Geloof ik…' Ewoud kan zich eigenlijk niet eens zo goed herinneren in welke kroegen hij precies geweest is, maar hij weet wel dat hij aardig wat kopstootjes soldaat heeft gemaakt.

'Je baas is langs geweest. Hij vroeg zich af waarom je niet kwam opdagen. Ik heb gezegd dat je je niet goed voelde en even naar de huisarts was.'

'O… Dankjewel, Suus.' Ewoud krabt aan zijn hoofd en kijkt naar de grond. Verdorie. Wat moet hij nu met Suus?

'Ik maakte me zorgen, Ewoud. Je had toch even kunnen bellen?'

'Je hebt gelijk.' Schuldbewust kijkt hij haar aan. 'Heb je opgeruimd?' vraagt hij om het gesprek op een ander onderwerp te brengen. Suus knikt bleekjes. Hij ziet dat haar onderlip begint te trillen.

'Toe, Suus, niet huilen.'

'Het lijkt wel of poetsen en koken het enige is waar je me voor nodig hebt. Waarom houd je niet van me, Ewoud?'

Ewoud kijkt haar onthutst aan. Onbeholpen haalt hij zijn schouders op.

'Je ontkent het niet eens. Zie je wel. Je geeft niets om me.'

Ewoud heeft een gevoel van déjà vu. Deze aanklacht heeft hij vaker gehoord.

'Jawel, Suus, ik geef wel om je. Ik vind je lief en mooi. Maar zie je... ik ben niet de juiste man voor je. Ik ben een leeg vat. Ik verpest alles wat ik aanraak. Suus, jij hebt een vent nodig die je een mooi leven kan bieden. Een man die jou op handen draagt. Je verdient beter. Ik kan dat niet, Suus. Ik heb problemen en geen rooie cent. Ik ben de moeite niet waard.'

Tot zijn verbazing ziet Ewoud geen gebroken vrouw voor zich, maar verschijnt er plotseling een strijdvaardige blik in Suus' ogen. Onwillekeurig deinst hij een beetje terug. Wat heeft dat te betekenen?

'Ik vond in het keukenkastje een enorme stapel ongeopende enveloppen. Je hebt vreselijke betalingsachterstanden, Ewoud. Als je niet uitkijkt, gooien ze je binnenkort je woning uit.'

'Heb je mijn post opengemaakt?' vraagt Ewoud verbouwereerd.

'Alleen om je te helpen. Brieven van de deurwaarder moeten onmiddellijk geopend worden, Ewoud. Dat weet iedereen.' Haar anders zo zoete, lieve stem klinkt nu hard en bijterig. Bazig zelfs. Het bevalt hem allerminst.

'Ik maak het over zodra ik mijn loon binnen heb,' antwoordt hij vermoeid. Met samengeknepen ogen kijkt ze hem aan. Ze doet Ewoud denken aan een valse straatkat. Hij rilt.

'Dat begrijp ik niet, Ewoud. Je hebt toch geld genoeg?'

Argwanend kijkt Ewoud haar aan. 'Wat bedoel je?'

'Die vijf ton op die Zwitserse bankrekening,' antwoordt ze terwijl ze hem met vlammende ogen aankijkt.

Ewoud voelt het bloed uit zijn gezicht wegtrekken voordat een enorme woede in hem opwelt, die wordt versterkt door haar triomfantelijke blik. Hij slaat met zijn vuist op tafel en verheft zijn stem. 'Verdomme, Suus. Je hebt van mijn spullen af te blijven!' Om zijn woorden kracht bij te zetten, geeft hij een harde trap tegen de stoel waar Suus op zit. Verschrikt kijkt ze hem aan. 'Dit wil ik absoluut niet hebben!' brult Ewoud.

'Sorry, maar ik wou alleen... Ik dacht...'

'Wat dacht je? Dat je mijn leven kunt organiseren? Wie denk je wel niet dat je bent? Er zijn dingen waar jij niets mee te maken hebt. Helemaal niets, hoor je. Hoe durf je je met mijn zaken te bemoeien. Je bent te ver gegaan, Suus. Veel te ver.'

'Maar ik wilde helemaal niet...'

'Eruit!' Trillend van woede wijst hij naar de deur. Het voelt alsof zijn hoofd ieder moment uit elkaar kan klappen. Suus kijkt hem met grote angstogen aan, springt op, grist haar jas van de kapstok en vlucht naar de deur.

Als ze zich in de deuropening omdraait, ziet hij haar lippen bewegen in haar betraande gezicht, maar het geraas van een passerend vliegtuig overstemt haar woorden.

Woest gooit hij de deur achter haar dicht.

24

Lisa

Voorzichtig nipt Lisa van de espresso die Frank zojuist door zijn knappe assistente heeft laten brengen. Zelf drinkt hij niets. Hij leunt nonchalant tegen de grote glazen vergadertafel in de lichte, transparante kantoorruimte en kijkt haar glimlachend aan. Het is fijn om even met haar oude vriend te kunnen kletsen, vooral nu de jaarlijkse aandeelhoudersvergadering er weer aankomt. Ze vreest dat het volgende week alleen maar over de schadeclaims zal gaan. De meeste aandeelhouders zijn vermoedelijk bang dat het bedrijf een groot financieel fiasco tegemoet gaat. Frank bezit weinig aandelen van NLM, maar zijn status, en daarmee zijn invloed op de andere aandeelhouders, is groot. Als hij zijn vertrouwen in NLM uitspreekt en rustig blijft, heeft dat vast een gunstige invloed op de anderen, redeneert ze praktisch.

Wanneer hij haar enthousiast en met zwierige handgebaren vertelt over een enorme opdracht voor een wolkenkrabber in

Abu Dhabi, neemt ze hem van top tot teen op. Wat ziet hij er nog goed uit! Slank, gespierd, een volle bos haar, amper grijs. En dan die diepbruine ogen, die in het diepste van je ziel lijken te kunnen kijken... Frank is ongeveer van dezelfde leeftijd als Wim, maar dat zou je niet zeggen. Haar echtgenoot lijkt minstens tien jaar ouder. Sinds het auto-ongeluk is hij zeker tien kilo aangekomen. Ook is hij zo goed als kaal. Bij sommige mannen staat dat best goed, maar Wim heeft er niet het juiste hoofd voor. Het is te bultig. Wiskundeknobbels noemt hij ze altijd gekscherend.

In haar vriendschap met Frank, die nu al zo'n vijfentwintig jaar duurt, is Lisa vaak een tijdje heimelijk verliefd op hem geweest. Ze heeft nooit wat met die gevoelens gedaan, want ze peinst er niet over om haar relatie met Wim op het spel te zetten. Het laatste waar ze op zit te wachten is een ontwricht gezin. Bovendien is Frank een echte womanizer. Dat hoeft niemand haar te vertellen. Hij is het soort man dat je nooit voor je alleen hebt. Ze verwondert er zich soms over dat zijn vrouw Joyce dat blijkbaar helemaal niet in de gaten heeft. Hoe naïef kun je zijn? De relatie tussen die twee heeft ze nooit goed begrepen.

Vanaf het moment dat Frank en Wim elkaar hadden leren kennen bij hun studentenvereniging, waren ze contact blijven houden. Toen ze jonger waren gingen ze regelmatig met zijn vieren tot in de vroege uurtjes stappen, maar later, toen hun carrières al hun energie opslurpten, veranderde dat in gezellige etentjes thuis. Op dit moment nog één of twee keer per jaar, aangevuld met wat korte ontmoetingen.

Lisa kijkt rond in het chique, hypermoderne kantoor van Frank. Alles is tot in de puntjes doordacht en afgewerkt. Natuurlijk, het is het visitekaartje van de toparchitect. Ze is nog steeds onder de indruk van de manier waarop hij de absolute top in zijn vak heeft weten te bereiken. Ze kan zich herinneren dat hij niet eens de beste van zijn jaar was. Maar door zijn vechtlust, intelligentie, doorzettingsvermogen en de capaciteit om de allerbeste mensen om zich heen te verzamelen, was hij zo ver gekomen.

Lisa schrikt op uit haar overpeinzingen door de directe vraag die Frank haar stelt. 'Maar vertel jij eens... Hoe gaat het met de Zakenvrouw van het Jaar?' Lisa baalt een beetje dat hij daaraan refereert. Twee jaar geleden, voordat alle toestanden waren begonnen, was ze door een vrouwenblad uitgeroepen tot invloedrijkste zakenvrouw van het land. De glossy had haar uitgenodigd voor een uitgebreide fotoshoot in Portugal in de kleding van haar favoriete ontwerpers. Daarbij zat een wel heel erg sexy jurkje, dat ze in eerste instantie hoofdschuddend opzij had gelegd. Maar vanwege de vrolijke, uitgelaten sfeer, de stralende zon, de complimenteuze fotograaf en de vasthoudende productieassistente had ze zich uiteindelijk laten overtuigen het nauwsluitende korte jurkje te proberen. Het zat als gegoten en voor de grap nam ze allerlei overdreven, verleidelijke poses aan die door de fotograaf onmiddellijk werden vastgelegd. Daarna waren ze verdergegaan met het serieuzere werk. Tot haar verbazing waren juist de sexy foto's overdonderend mooi geworden. Waarschijnlijk lag het aan de zon, de wijn en de manier waarop er op haar werd ingepraat, maar uiteindelijk stemde ze toe in het gebruik ervan. Met deze fotoshoot bewees ze namelijk dat je als drukbezette topzakenvrouw echt geen lelijk manwijf hoefde te zijn. Met een goed gevoel over zichzelf stapte ze in het vliegtuig naar huis.

De publicatie van het betreffende nummer had op geen slechter moment kunnen komen. Juist toen ze er goed aan had gedaan in de luwte te blijven, verscheen ze als een vamp, als een femme fatale pontificaal op de cover van het glossy magazine. Tot overmaat van ramp besloot het blad tot een reclameboost met deze editie en daardoor kwam ze haar beeltenis overal tegen. Ook op internet werd de foto een hit. Vanaf dat moment werd hij bij zowat elk artikel geplaatst waarin haar naam werd genoemd. Het was een nachtmerrie. En dan dat obscene taalgebruik op internet. Geilste zakenvrouwtje van het jaar, dat soort dingen. Vreselijk gênant.

Frank neemt haar intussen aandachtig op. 'Je ziet er moe uit, Lisa. Gaat het allemaal wel?'

Tot haar ontsteltenis voelt ze haar ogen volschieten. Ze wendt haar gezicht beschaamd af.

'Wim is al een tijdje weg, niet?'

Lisa knikt terwijl ze nog steeds zijn blik ontwijkt.

'Is er iets aan de hand, Lisa?' Frank tilt haar kin op en kijkt haar bezorgd aan.

Lisa voelt zich hoogst ongemakkelijk. 'Er gebeuren van die rare dingen,' zegt ze zacht. Verschrikt laat Frank haar gezicht los en zet een stap achteruit. 'Vertel!'

Zorgvuldig formulerend vertelt Lisa Frank over de korte

verdwijning van Harald en de mogelijke aanwezigheid van een onbekende persoon in haar huis gisteren.

Frank kijkt haar geschokt aan. 'Heb je de politie gebeld?'

'Voor de ontvoering wel natuurlijk. Maar dat van die indringer kan ik niet bewijzen. Ik heb zelf niemand gezien,' antwoordt Lisa bedeesd. Ze denkt terug aan wat er gebeurde toen Harald weer naar bed was gegaan en zij ontdaan op de bank zat bij te komen. Toen ze met haar hand onder de kussens van de bank naar haar mobiele telefoon zocht om Wim te bellen, voelde ze niet alleen haar telefoon maar ook de portemonnee waarvan ze dacht dat Bas hem gestolen had. Gegeneerd belde ze de volgende dag naar de agent om de aangifte van diefstal in te trekken. Van hem begreep ze dat hij haar al had willen bellen omdat hij Bas bij zijn moeder getraceerd had, waar de knul met een flinke griep en hoge koorts naartoe was gegaan omdat hij iemand nodig had die voor hem zorgde. Bas had Lisa niet kunnen bellen omdat hij met zijn koortsige hoofd zijn telefoon was vergeten, maar hij had de agent gevraagd zijn excuses aan haar door te geven. Lisa liet hem diezelfde ochtend via het bemiddelingsbureau een enorme fruitmand bezorgen. Ze hoopte maar dat Bas haar dit gebrek aan vertrouwen zou kunnen vergeven. De agent liet Lisa, tussen de regels door, zijn afkeuring duidelijk merken en alleen daarom al vond ze het wijzer om niets te zeggen over de mogelijke indringer. Wat zou hij van haar denken? Dat ze een paranoïde fantast was? Er was geen enkel bewijs dat er iemand binnen was geweest. Er waren alleen Haralds woord en haar gevoel.

'Misschien was het alleen maar een onzichtbaar vriendje van Harald. De politie ziet me al aankomen.'

'Wat een vervelende toestanden allemaal,' zegt Frank.

Lisa betrapt hem op een heimelijke blik op zijn horloge. Iemand tikt tegen het venster dat Franks kantoor scheidt van een grote open werkruimte. Lisa herkent Anna de Wit, die enthousiast naar haar zwaait. Glimlachend zwaait ze terug.

'Kennen jullie elkaar?' vraagt Frank verbaasd.

'Van het vrouwennetwerk,' antwoordt Lisa. 'Interessante vrouw, die Anna.'

'Jazeker,' beaamt Frank. 'En enorm getalenteerd ook. Maar om terug te komen op ons onderwerp... Ben je bang?'

'Wim is weg. Er gebeuren rare dingen. Of laat ik het anders zeggen: ik voel me niet meer zo op mijn gemak. Het huis ligt zo afgelegen. Niemand heeft het in de gaten als er wat gebeurt.'

'Je moet wat aan de beveiliging doen. Als ik terug ben uit Abu Dhabi kan ik wel even het huis met je doorlopen, maar dat duurt nog een paar weken. Het is beter als je nu actie onderneemt.' Peinzend kijkt hij haar aan. 'Als je een beveiligingsbedrijf zijn gang laat gaan, zit je in no time in een soort Fort Knox. Is ook niet helemaal de bedoeling, neem ik aan.'

Lisa haalt glimlachend haar schouders op. 'Ach, ik kom er wel uit met zo'n bedrijf. Ik heb wel voor hetere vuren gestaan.'

'Oké, prima, maar waarom vraag je Anna er niet even bij? Jullie zijn toch bevriend? Twee weten meer dan één.'

'Ik kan haar toch niet lastigvallen met zoiets onnozels!'

'Ik denk dat ze je graag wil helpen. Gewoon als vriendendienst. Bovendien: zoveel werk is het nu ook weer niet, hoor.
Alleen even een rondje door het huis lopen. Normaal gesproken zou je zoiets met Wim overleggen. Toch? Ik had je
graag willen helpen, maar ik zit tot aan mijn vertrek naar
Abu Dhabi helemaal volgeboekt. Anna doet het vast graag
voor je.' Frank pakt haar handen en kijkt haar lachend aan.
'Lisa, je zou jezelf in de spiegel moeten zien. Je lijkt op dit
moment meer op een onzeker meisje dan op een van de
machtigste zakenvrouwen van Nederland.'

Lachend recht Lisa haar schouders en maakt zich breed.
'En nu?' vraagt ze met een donderend stemgeluid.

'Help, daar is de kenau weer!' zegt Frank grinnikend terwijl hij gekscherend wegduikt achter zijn bureau. 'Anna is
volgens mij net vertrokken, maar waarom kom je morgen
niet even op onze borrel? Dan hebben we het erover.'

'Kunnen we het morgen dan ook nog even over de aandeelhoudersvergadering van volgende week hebben?' wil Lisa
weten. Het doel van haar bezoek aan Frank mag ze natuurlijk niet uit het oog verliezen. 'Ik heb je hulp nodig.'

Frank lacht samenzweerderig. 'Natuurlijk kun je op me
rekenen, Lisa.'

25

Anna

Treuzelend pakt Anna haar koffer in. Overmorgen vertrekt ze weer voor een week naar Grenoble. Het reizende bestaan waar ze altijd zo van hield, staat haar de laatste tijd een beetje tegen. De onpersoonlijke hotels, de oppervlakkige contacten met de opdrachtgevers, het haantjesgedrag van Frank. Soms verlangt ze naar een ander leven. Een leven waarin ze er niet in haar eentje voor staat. Zou dat mogelijk zijn?

Wanneer ze haar koffer heeft ingepakt, zoekt ze in haar grote kledingkast naar een leuk cocktailjurkje. De keuze valt op een charmante rode jurk met subtiele bloemenopdruk. Ze moet weer komen opdraven bij een van de borrels die Frank regelmatig voor zijn relaties organiseert. Noodzakelijk, dat begrijpt ze wel, maar vaak enorm saai. Het is altijd weer hetzelfde verhaal met saaie bobo's van middelbare leeftijd en ouder die indruk op haar proberen te maken met hun kennis van architectuur. Als ze de deur van haar appartement opent, botst ze bijna tegen Emilio Richelli op. 'Hela, rustig aan,' zegt hij met zijn charmante Italiaanse tongval, terwijl hij glimlachend naar haar kijkt. 'Voel je je al een beetje thuis in onze mooie villa?'

Een beetje verlegen kijkt ze hem aan. Ze is nog maar weinig thuis geweest en eerlijk gezegd heeft ze sinds het incident met vogel Sjaak veel moeite om zich op haar gemak te voelen in haar appartement. Ze slaapt nog steeds slecht en schrikt wakker van ieder geluid. 'Het begint te komen,' antwoordt ze hem niet geheel naar waarheid. Hij kijkt haar onderzoekend aan. Tot haar afschuw voelt ze haar wangen warm worden.

'Misschien kunnen we een keer samen eten. Zou je dat leuk vinden? Dan kunnen we elkaar wat beter leren kennen. Dat kan je ook helpen om je hier wat meer thuis te voelen.'

'Dat moeten we zeker een keer doen,' antwoordt Anna ontwijkend. Ze wil weg bij deze man onder wiens vorsende blik ze zich een schuchter meisje voelt. 'Ik moet naar een borrel op het werk,' zegt ze verontschuldigend.

'Daarom zie je er zo beeldschoon uit.'

Anna glimlacht schutterig. 'Tot ziens dan maar,' groet ze.

'Ciao, bella,' antwoordt hij vrolijk.

Als ze wegloopt, voelt ze dat hij haar nakijkt.

Terwijl ze naar het centrum fietst, beseft ze dat haar lichaam snakt naar contact, subtiele aanraking, heftige seks. De laatste keer was met Eric in het chalet. Sindsdien belt hij haar regelmatig om te smeken om een ontmoeting, maar ze laat

zich niet meer overhalen. Dat hij getrouwd was, wist ze natuurlijk wel, maar dat hij haar daarom bij de aangifte bij de
politie zo in de steek had gelaten, kon ze hem niet vergeven.

Wanneer ze op de borrel arriveert, wordt haar verwachting
bewaarheid. Er zijn alleen maar saaie kerels in saaie pakken
die saaie verhalen vertellen over hun saaie bedrijven. Anna
moet moeite doen om niet te gapen als een van hen een lang-
dradig verhaal afsteekt over zijn verzekeringsfirma. Af en toe
knikt ze hem vriendelijk toe, maar het lukt niet om haar aandacht erbij te houden. Met wat drank houd ik het misschien
wat beter vol, bedenkt ze, en ze loopt naar de bar om nog
een rum-cola te bestellen. Plotseling wordt ze van achteren
stevig om haar middel vastgegrepen. Geïrriteerd draait ze
zich om en kijkt in het gezicht van Laurens. Blij verrast vliegt
ze haar boomlange zwager om de nek. 'Schoonbroertje, wat
leuk dat ik je hier zie.' Ze zoent hem op beide wangen.

'Ik doe een tekenopdracht voor Frank,' zegt hij droogjes.
'Daarom mocht ik vandaag ook een keertje komen kijken in
het walhalla waar mensen als jij zich dagelijks in begeven.'

Anna trekt Laurens mee naar een bankje in de hoek van
de ontvangstruimte. 'Super dat je hier bent. Ik verveelde me
dood. Vertel eens over je opdracht.'

Dat doet Laurens. Als Anna na een tijdje rondkijkt, vangt
ze de blik van Frank. Het duurt even voordat ze beseft dat
hij haar wenkt. 'Ik moet weer opdraven. Zullen we straks
nog even de kroeg induiken?'

'Prima, ik wacht buiten wel op je.'

Als Anna Frank nadert, ziet ze dat hij in gesprek is met Lisa

van Ostade. Ze is gekleed in een perfect gesneden mantelpakje van een van Anna's favoriete ontwerpers. 'Lisa, wat
leuk dat je hier bent.' Enthousiast zoent ze de zakenvrouw
op beide wangen. 'Hoe gaat het met je?'

'Druk als altijd,' antwoordt Lisa met zachte stem.

Verbaasd kijkt Anna Lisa aan. Er is iets veranderd aan
haar. Ze ziet er perfect verzorgd uit, zoals altijd, maar iets
klopt er niet aan het plaatje. Dan weet ze het. Lisa's normaal
gesproken zo kalme, geruststellende ogen flitsen nu onrustig
heen en weer. Waarom is ze zo nerveus? Dan schiet Anna iets
te binnen wat ze op het nieuws hoorde over Lisa's bedrijf.
Iets over een rechtszaak... Wat was het ook alweer? Omdat
ze zo vaak voor langere periodes in het buitenland is, komt
ze amper toe aan het volgen van het Nederlandse nieuws en
tot haar schaamte kan ze daardoor niet altijd meepraten over
de actualiteiten. Ze neemt zich meteen voor om weer een
abonnement op een krant te nemen.

'Nu herinner ik me dat je ooit hebt gezegd dat jullie oude
vrienden zijn,' zegt Anna glimlachend.

'Heel oude vrienden,' grapt Frank. 'Ik roep je erbij omdat
ik je een gunst wil vragen, Anna. Als ik niet naar Abu Dhabi
zou gaan, zou ik het natuurlijk onmiddellijk zelf doen voor
mijn lieve vriendin, maar Lisa heeft snel iemand nodig die
advies kan geven over de beveiliging van haar huis. Heb jij
deze week een uurtje tijd over?'

Verrast kijkt Anna Frank aan, maar ze herstelt zich snel.
Vermoedelijk is deze 'vriendendienst' een tactiek van Frank
om een grote opdracht van Lisa's bedrijf binnen te slepen

wat hem ongetwijfeld ook zal lukken. Frank weet precies hoe hij mensen moet paaien. Ze vindt het alleen een beetje naar dat hij haar ervoor inzet.

'Sorry, dat ik je hiermee lastigval, Anna, maar Frank vindt het blijkbaar echt nodig dat ik me hierbij door jullie laat adviseren. Die beveiligingsbedrijven schijnen er bij voorkeur een onneembare vesting van te maken en daar heb ik niet zoveel trek in.'

Lisa ziet er een beetje ongemakkelijk uit. Blijkbaar niet gewend om hulp te vragen, denkt Anna. Onmiddellijk besluit ze om aan het verzoek te voldoen, want ze mag Lisa echt graag. Ze glimlacht breed. 'Maar natuurlijk doe ik dat graag voor je, Lisa. Dan kan ik meteen zien hoe je woont, want daar ben ik namelijk erg nieuwsgierig naar, na al die opschepperige verhalen van je tijdens de netwerkborrels,' zegt ze op speelse toon.

Lisa glimlacht. 'Ik hoop maar dat mijn huis uw goedkeuring kan wegdragen, mevrouw de architect.'

'Mmm, dat zullen we nog wel eens zien.'

Als Anna later met Laurens in het café achter een groot glas bier zit, kijkt ze haar zwager voor het eerst die avond echt goed aan. Onder zijn ogen hangen zware wallen en zijn huid ziet grauw. Zijn halflange zwarte manen lijken dunner te zijn geworden.

'Laurens, zie ik daar een grijze haar?'

'Dat zal de eerste niet zijn.'

'Gaat het wel goed met je?'

Laurens kijkt haar droevig aan en zucht diep. Hij schudt zijn hoofd. 'Maria wil graag kinderen... Weet je dat?'

Anna haalt haar schouders op. 'Ik wist wel dat ze ooit kinderen wilde, maar niet dat dat nu al was.'

'Ik heb net mijn eigen architectenbureau op de rails, maar krijg amper nieuwe opdrachten. Alles gaat tegenwoordig naar de grote bureaus, zoals FVA. De mensen durven geen risico meer te nemen. Dat klusje van Frank is een godsgeschenk. Zelfs voor een simpele verbouwing zou ik momenteel een moord plegen... Maar wat ik wil zeggen: gezien onze financiële situatie vind ik het nog geen goed moment om aan kinderen te beginnen...' Hij zucht diep.

'En Maria neemt je dat kwalijk,' vult Anna aan. Haar zus is ontzettend lief, maar ook vreselijk manipulatief en drammerig als ze haar zin niet krijgt. Ze voelt een diep medelijden met haar oude studievriend. 'Je kunt het onderwerp het beste een tijdje proberen te vermijden. Bij mij heeft dat vroeger ook wel eens geholpen...'

'Geen seks dus,' constateert Laurens droogjes. 'Mooie adviseur ben jij.' Hij neemt een flinke slok van zijn bier. 'En jij?' vraagt hij. 'Ik hoorde van Maria over de hamsterbal die je gekregen hebt.'

'Ja, luguber hè?' antwoordt Anna laconiek. 'Ik denk dat iemand me iets duidelijk wil maken.'

'Wat dan?'

'Daar vraag je me wat.'

'Je moet voorzichtig zijn, Anna,' antwoordt Laurens. 'Dit is echt niet normaal.'

'Ik weet het. Ik ben op mijn hoede,' antwoordt ze. 'Nog een bier?'

Laurens knikt.

Als ze twee uur later wankelend het café uitlopen en eindelijk hun fietsen hebben losgemaakt, staat Laurens erop om Anna naar huis te brengen. 'Een mooie vrouw in een rood cocktailjurkje laat je niet alleen over straat gaan,' bralt hij overduidelijk aangeschoten.

Slingerend fietsen ze door de stille nachtelijke straten, zoals ze in hun studietijd ook zo vaak deden. Anna wordt er een beetje verdrietig van. Het samenzijn met haar oude vriend voelt zo vertrouwd en beschermd. Als hij straks vertrokken is, zal ze weer alleen zijn. Zoals altijd.

Wanneer ze haar fiets de oprijlaan wil opduwen en bijna omvalt door de zware laag grind waar ze doorheen moet ploegen, voelt ze de tranen komen.

Laurens ziet het onmiddellijk. Hij zet zijn fiets tegen het hek. 'Toe Anna, niet huilen.'

'Sorry, ik kan niet stoppen.'

Laurens spreidt zijn armen. 'Kom eens hier, meisje.'

Zonder erover na te denken stort Anna zich in zijn armen, die zich onmiddellijk om haar tengere lichaam sluiten.

'Wat een verdriet toch,' fluistert hij.

Anna voelt zijn gespierde, twee meter lange lijf dicht tegen zich aan. Ze kent het nog van lang geleden. En door wat ze die nacht bij Maria heeft gezien, weet ze hoe fantastisch zijn lichaam nu nog steeds is. Dat beeld is sindsdien niet meer uit haar gedachten geweest. Ze drukt zich wat steviger tegen hem aan. Haar handen verplaatsen zich naar zijn middel en zakken dan af naar zijn billen. Na een korte aarzeling voelt ze zijn heftige reactie. Zijn mond, tong en handen lijken plotseling overal te zijn. Haar lichaam gloeit. Zijn handen schuiven onder haar jurk, haar bh, haar slipje. Anna kreunt zacht. Dit is heerlijk. Koortsachtig probeert ze de knoop van zijn broek los te krijgen. Dit is wat ze wil. Nu. Laurens kreunt hard als ze haar hand in zijn broek schuift.

'Ga mee naar mijn kamer,' fluistert ze, maar op hetzelfde moment dat ze deze verboden woorden uitspreekt, weet ze dat ze dat beter niet had kunnen doen. Ze deinst terug. Waar is ze in godsnaam mee bezig?

Laurens' gezichtsuitdrukking verandert. Hij ziet er plotseling intens verdrietig uit. Vanuit haar ooghoeken ziet ze een gordijn op de eerste verdieping van de villa bewegen. Snel doet ze haar opgestroopte jurk weer omlaag. Treurig kijkt ze naar Laurens, die onhandig probeert de knoop van zijn broek weer dicht te krijgen. Als hij klaar is, kijkt hij haar aan. Dan geeft hij haar een aai over haar wang en loopt zonder wat te zeggen naar zijn fiets. Anna slaat haar jas stevig om zich heen en kijkt hem na. Net voordat hij wegrijdt, draait hij zich om en doet zijn wijsvinger voor zijn lippen. Ze knikt bevestigend, pakt haar huissleutel en opent de deur.

26

Twee jaar geleden, op 10 december, verloor ik mijn trots, mijn eigenwaarde, mijn ambitie en het vermogen om lief te hebben. Alles wat een mens van me maakte, viel laagje voor laagje van me af, totdat er slechts een ruwe kern overbleef. Ik transformeerde tot een opgejaagd dier met slechts één doel: wraak nemen.

Dat klinkt nogal banaal. Ik weet het. Maar dat kan me helemaal niets schelen. Dat is nu juist de grap.

27

Ewoud

'En nu heb ik er godverdomme genoeg van!' schreeuwt Ewoud in zijn telefoon, waarna hij het ding tegen de muur van zijn huiskamer smijt. Ogenschijnlijk ongeschonden valt het mobieltje op de grond. 'Dit is toch niet normaal? Waarom laten die klojo's me niet met rust?' Wanhopig laat hij zich op zijn bank vallen. Het liefste zou hij een potje willen janken, maar hij krijgt geen traan meer uit zijn bloeddoorlopen ogen geperst. Hoewel, als hij maar lang genoeg aan Anouk denkt, begint het vast wel weer te prikken. Het ziet ernaar uit dat hij het nu echt grondig verpest heeft. Een poging tot ontvoering komt niet bepaald goed over bij de rechter, zoveel is zeker.

Sinds zijn korte verblijf in de politiecel en de ruzie met Suus zit Ewoud al dagenlang in zijn eentje in zijn pyjamabroek thuis, kijkt televisie en luistert naar de overrazende vliegtuigen. Om hem heen ligt een grote verzameling halflege zakken chips, volle asbakken en cola-, bier- en jeneverflessen. De ellende wordt compleet gemaakt door de regelmatige telefoontjes van zijn stalker met altijd dezelfde boodschap: *'You've got to leave this town tonight.'*

Misschien heeft mijn stalker wel gelijk en is dat inderdaad wat ik moet doen, peinst Ewoud. Wegwezen uit deze rotstad, uit dit vervloekte rotland met zijn belachelijke wetten waar moeders volgens rechters automatisch meer rechten hebben dan vaders. Misschien moet ik inderdaad een nieuw leven beginnen op een plek waar niemand mij kent. Even gaan zijn gedachten met hem op de loop en ziet hij zichzelf met een cocktail in zijn handen onder een palmboom op een smetteloos wit strand zitten.

Maar een vertrek op dit moment zou ook betekenen dat hij Anouk opgeeft en dat is onvoorstelbaar. Als hij nu naar het buitenland gaat, geeft hij Fleur de volledige macht in handen en dat zou desastreus uitpakken. Hij zou zijn dochter nooit meer zien.

Aan de andere kant zou hij dan wel van zijn stalker verlost zijn. Even lijkt dat idee hem heerlijk, maar onmiddellijk ziet hij de lieve, bruine ogen en blonde krullen van zijn dochter weer voor zich. Het is zijn eigen bloed. Toen Anouk geboren werd, had hij zichzelf verplicht om er altijd voor haar te zijn. Die belofte moet hij nakomen.

'Godver!' vloekt hij hard als hij beseft dat hij zijn telefoon nodig heeft om contact op te nemen met zijn advocaat. 'Achterlijke sukkel die je bent,' zegt hij zachtjes terwijl hij zijn handpalmen hard tegen zijn pijnlijke ogen duwt om het schrijnende gevoel te verlichten. Het helpt niet veel. Ook zijn rug zit helemaal vast van het vele bankliggen. Even een stukje wandelen zal hem goeddoen. Wanneer hij de deur achter zich dichtgooit en de straat inloopt waar hij nu al zo'n twee jaar zijn dagen slijt, valt het hem weer op dat er zo weinig groen is tussen de grauwe vooroorlogse huizen met hun afgebladderde verflagen en besmeurde muren. Een paar boompjes hier en daar, het kost amper wat en zou de straat een heel andere uitstraling geven, maar dat zit er blijkbaar niet in. 'Een kansloze straat, voor kansloze mensen,' bromt Ewoud chagrijnig.

De lichaamsbeweging verlicht de pijn in zijn rug een beetje, maar er waait een gure wind. Aan het einde van de straat is een klein pleintje met een paar wipkippen, waar hij even op het gammele met graffiti bespoten bankje gaat zitten. De kou van het hout trekt meteen in zijn achterwerk. Rokend staart hij naar het groepje straatschoffies dat rondhangt op het betonnen, desolate pleintje. Ze zijn niet ouder dan een jaar of twaalf. Af en toe vangt hij flarden van hun gesprek op. De kinderen praten in de harde straattaal die hier in de buurt gebruikelijk is. Een klein ventje met vreemd ver uit elkaar staande ogen heeft het op luide toon over neuken, terwijl de rest hem bewonderend aankijkt. Het kereltje is niet ouder dan een jaar of tien. Voor galg en rad, denkt Ewoud. Als het hem lukt om weer een omgangsregeling met Anouk te krijgen, moet hij beslist gaan verhuizen. Misschien kan hij dan toch... Mismoedig schudt hij zijn hoofd. Hij mag alleen aan het geld komen als hij naar het buitenland vertrekt. Dat is de deal. Daar kan hij niet onderuit. Hij zou niet eens durven, als je bedenkt hoe hij op dit moment al onder druk wordt gezet om te vertrekken. Een stelletje criminelen is het. Als het om geld gaat, kan de sympathiekste persoon blijkbaar in een oogwenk veranderen in een angstaanjagende stalker. Hij rilt. Waarom is het toch zo gruwelijk misgelopen in zijn leven? Een paar seconden van onoplettendheid en alles kan zomaar voorbij zijn. Je kunt het je niet veroorloven om te verzwakken, je moet altijd op je hoede blijven. Een haast onmogelijke opdracht in een mensenleven. En als je alles kwijt bent wat je lief is, is dat een onmenselijke last. Had hij destijds maar... Voor de duizendste maal beleeft hij de zwartste momenten uit zijn leven weer. Met de schuld is amper in het reine te komen, maar hij moet wel. Voor Anouk.

Dan bedenkt hij iets. Zijn oude baas, Hans van der Kamp, was natuurlijk niet altijd een halve crimineel geweest. Ooit was het best een geschikte vent. Misschien heeft het zin om toch nog eens te proberen met hem te praten. Als Ewoud hem de huidige situatie met Anouk goed kan uitleggen, zou hij misschien nog wat uitstel kunnen krijgen. Een beetje speling, een beetje rust, totdat alles goed geregeld is met Anouk. Dat is toch niet zo'n vreemd verzoek? Van der Kamp heeft zelf ook kinderen. Een vader moet dit toch kunnen begrijpen, spreekt hij zichzelf bemoedigend toe. Hoe langer Ewoud erover nadenkt, hoe logischer zijn plan hem in de oren begint te klinken. Met hernieuwd optimisme staat hij op van het gammele bankje. Een dolksteek schiet door zijn rug, hij kreunt hard. De kinderen draaien hun hoofden naar hem en kijken hem nieuwsgierig aan.

'Die ouwe viezerik heeft zijn pyjamabroek nog aan,' roept een wat langere jongen met een snerpende stem, waarna de anderen hard beginnen te joelen. Getergd steekt Ewoud zijn middelvinger op naar de brutale kinderen. Hij rekt zich uit en probeert de pijn in zijn rug te negeren. Hij weet wat hij gaat doen.

In een telefooncel belt hij zijn voormalige werkgever, die na enig aandringen wat later die middag al een afspraak met hem wil maken in de kiosk in het stadspark.

Nadat Ewoud zich thuis heeft geschoren en schone kleren heeft aangetrokken, denkt hij terug aan het einde van dat telefoongesprek waarin Van der Kamp schijnheilig had geïnformeerd naar hoe het met hem ging. 'Natuurlijk gaat het klote met me,' had hij zo kalm mogelijk geantwoord. 'En daar heb jij alles mee te maken, lul,' had hij er nauwelijks hoorbaar aan toegevoegd. Van der Kamp had het gesprek daarop afgekapt.

Wanneer Ewoud naar het stadspark fietst, voelt hij zenuwachtige kriebels in zijn buik. Misschien neemt Van der Kamp die rare kerel die hem in de steeg bedreigd heeft wel mee. Twee tegen één is niet eerlijk. Aan de andere kant kan Ewoud zich niet voorstellen dat Van der Kamp de geheime details van hun afspraak met een buitenstaander zou willen delen. Veel te riskant. Het is al zo'n kwetsbaar verbond. Hun geheim mag nooit uitkomen, dat is waarschijnlijk het enige waar ze het over eens zijn. Ewoud beseft des te meer dat hij zich moet blijven concentreren op het allerbelangrijkste in zijn leven, en dat is Anouk. Aan al het andere moet hij maar zo weinig mogelijk proberen te denken.

Hij schopt de verrotte bladeren op het kronkelige pad opzij. De gure wind is in de namiddag aangewakkerd en het is gaan miezeren. De ouders en kinderen die het park in de zomer massaal bevolken, zitten lekker in hun warme huizen. Het park is verlaten.

Naarmate Ewoud dichter bij de kiosk komt, gaat hij langzamer lopen. Is dit eigenlijk wel zo'n goed idee? Hij knijpt zijn ogen tot spleetjes en zoekt Van der Kamp. Hij is er nog niet. Wat nu? Zenuwachtig repeteert hij het praatje dat hij voorbereid had, maar op het moment dat hij Van der Kamp met zijn schijnheilige glimlach en kwieke tred over het zandpad aan ziet komen lopen, wordt het hem even zwart voor de ogen. Het is stuitend om te zien dat deze man, die hem zo genadeloos door de mangel haalt, daar zo vrolijk fluitend aan komt wandelen. Maar wat had hij dan verwacht? Dat hij meteen een pistool tegen zijn kop zou krijgen?

'De Vries. Daar ben je dan.'

Ewoud beantwoordt de uitgestoken hand en dwingt zijn mond in een beleefde glimlach. 'Meneer Van der Kamp.' Hij onderdrukt de sterke neiging om zijn voormalige baas meteen hard op zijn gezicht te slaan.

'Je wilde me spreken?'

'Ja, inderdaad.' Ewoud denkt even na over de juiste aanpak en besluit om maar meteen de knuppel in het hoenderhok te gooien. 'Ik heb nog wat uitstel nodig.'

Het gezicht van Van der Kamp betrekt. 'Maar De Vries, je weet dat je al lang weg had moeten zijn. Ik heb al erg lang erg veel geduld met je gehad. Het is nu toch hoog tijd. Afspraak is afspraak, De Vries.'

'En die nare kerel dan die u op me afgestuurd hebt, en vooral die irritante telefoontjes, was dat ook de afspraak?'

'Telefoontjes?' Van der Kamp ziet er oprecht verbaasd uit. 'Wat voor telefoontjes?'

'Hou je toch niet van de domme, man!' Ewoud hoort zijn stem verontwaardigd naar boven schieten. Wat heeft hij zin om deze hufter eens flink aan te pakken.

'Ik weet niets van telefoontjes.'

Ewoud begint op dreinende toon het gekmakende deuntje te zingen. *'I've gotta leave this town tonight.'*

Van der Kamp staart hem perplex aan. 'Ik weet echt niet waarover je het hebt.'

Ewoud krabt zich op zijn voorhoofd. 'En die man dan?'

'Ik heb inderdaad iemand gevraagd om contact met je op te nemen om je vriendelijk aan onze afspraak te herinneren. Maar dat is toch allemaal heel netjes verlopen, nietwaar?'

Ewoud knikt nukkig, de man had hem fysiek niets misdaan. Het gekriebel in zijn buik neemt weer toe.

'Met dreigtelefoontjes heb ik niets te maken, De Vries. Dat is niet mijn stijl. Maar ik moet wel zeggen dat het me erg tegenvalt dat je nog steeds in Nederland bent. We hebben duidelijke afspraken gemaakt. Die zijn in ons beider belang. Daar was je het mee eens. We moeten ons gedeisd houden en daarom is het heel belangrijk dat jij nu onmiddellijk ver-

dwijnt. Nogmaals: afspraak is afspraak. Kan ik daarop rekenen, De Vries?'

Ewouds hoofd begint te tollen. Even is hij bang dat hij
flauw gaat vallen. Als Van der Kamp niet verantwoordelijk is
voor die telefoontjes, wie dan wel?

28

Lisa

Lisa geeft haar binnenspiegel een tikje omhoog zodat de koplampen van haar achterligger haar niet meer verblinden. Het sonore gebrom van de motor kalmeert haar een beetje. Dat is nodig, want ze staat stijf van de stress. Net nu ze onderweg is naar de tv-opnames van een bekende talkshow. Lisa is gevraagd om haar mening te geven over het geringe aantal vrouwen dat doorbreekt tot de top van het bedrijfsleven. Andere gasten zijn een bekende politica, een chagrijnige schrijver die bekendstaat om zijn ongenuanceerde uitspraken en een topsporter die meerdere malen betrapt is op doping maar zweert zijn leven gebeterd te hebben.

Het was vandaag, zoals altijd, weer ontzettend druk op het werk. Ze had alleen een klein stukje van de urgente linkerstapel die Janine op haar bureau had gelegd kunnen afwerken, maar hij bleef maar groeien. Prioriteiten stellen, sprak ze zichzelf vermanend toe toen ze een zenuwinzinking op voelde komen en op dat moment herinnerde ze zich dat haar focus moest liggen bij het voortbestaan van haar bedrijf.

Desondanks zijn die stapels op haar bureau haar een doorn in het oog. In betere tijden werkt ze alles zo snel mogelijk af. Lisa wordt namelijk onrustig van onafgewerkte zaken, waardoor ze zich niet kan ontspannen. De enige die haar dan een beetje kan afleiden is Wim, maar Wim is afwezig. In alle opzichten. Als hij belt, is het net of hij er niet bij is met zijn gedachten. Ze krijgt slechts vage antwoorden op haar vragen en soms heeft ze de indruk dat ze tegen een dode telefoonlijn praat. Ze doet haar uiterste best om blij voor hem te zijn dat hij zo'n geweldige kans als *visiting professor* heeft gekregen, maar het is moeilijk. Alleen al om praktische redenen heeft ze hem nodig. Een gezin laat zich niet louter zakelijk besturen als een bedrijf, maar is een grillig weefwerk van emoties en kindernukken. Soms voelt ze zich alsof ze alleen maar moedertje aan het spelen is in een bizar toneelstuk.

Zelfs haar eigen ouders waren destijds stomverbaasd toen ze aankondigde dat ze zwanger was en dat ze een groot gezin wilde. Daardoor wilde ze zichzelf juist des te meer bewijzen. Ze kocht alle boeken over ouderschap die ze kon vinden en vond zichzelf uit als moeder. In theorie kon ze alles, maar de praktijk bleek ongelooflijk weerbarstig. Ze begreep al snel dat ze de schade binnen de perken kon houden door de juiste mensen om zich heen te verzamelen. Mensen die je dingen uit handen kunnen nemen, zoals Wim, Jasja en Janine. Maar wat als er een paar radertjes vastlopen in die machine?

Lisa knippert met haar ogen omdat ze opnieuw verblind

wordt via de binnenspiegel. Weer zo'n vervelende bumper-klever. Een wit bestelbusje. Als zij gas zou geven, zou hij on-middellijk het nakijken hebben. Koppig besluit ze zich aan de maximumsnelheid te houden. Het is vast weer zo'n hormo-naal getormenteerde patser die denkt de koning van de weg te zijn. Lisa weerstaat de neiging om even pesterig te remmen. De vent dringt aan en knippert zelfs met zijn lichten.

'Rot op, klotepuber,' scheldt Lisa.

Dan komt het bestelbusje rechts naast haar rijden. Lisa kijkt kwaad opzij en ziet een gestalte met een capuchon op. Hij blijft pal naast haar rijden.

'Wat nou?' gebaart Lisa geïrriteerd. De man draait zijn gezicht iets naar haar toe, maar ze kan in het donker slechts een rijtje tanden onderscheiden. Lacht hij? Daagt hij haar uit? Wat is dit? Verbeten kijkt ze weer voor zich, halsstarrig vasthoudend aan haar snelheid. Ze is niet van plan om zich van de wijs te laten brengen door een pesterige puber. Lisa concentreert zich op het donkere asfalt voor haar en pro-beert de man te negeren. Plotseling voelt ze een schok en slaat ze met haar hoofd tegen het zijraampje aan. Vanuit haar ooghoeken ziet Lisa de vangrails aan de linkerkant in hoog tempo dichterbij komen. Een schrapend, metaalachtig geluid overstemt haar schreeuw. Zo snel ze kan trekt ze het stuur naar rechts om de Audi weer in de juiste baan te bren-gen. De auto slingert hevig, maar tot haar opluchting sta-biliseert hij snel. Lisa laat de kilometerteller naar honderd kilometer per uur zakken en denkt koortsachtig na. Wat is er zojuist gebeurd? Probeerde de man haar te rammen? Panie-

kerig probeert ze haar gedachten te ordenen. Waar is de bestelbus? In de spiegel ziet ze dat hij haar op zo'n vijftig meter
afstand volgt. Wat moet ze doen? Stoppen op de vlucht-
strook? Vragen wat er in godsnaam aan de hand is? Ze spant
zich in om het kenteken te lezen, maar een paar cijfers zijn
onleesbaar gemaakt. De schoft is hierop voorbereid, beseft
ze. Een ijzingwekkende gedachte schiet door haar heen: de
man die Harald ontvoerd heeft, had ook een witte bestelbus.
De tranen springen in haar ogen. In de achteruitkijkspiegel
ziet ze de twee koplampen weer opdoemen. Dichterbij nu.
'Hij gaat me weer rammen,' fluistert Lisa. Hij wil haar vermoorden! Ze hapt naar adem. Er is maar één manier om te
ontsnappen. Ze trapt het gaspedaal van de Audi tot op de
bodem in. De auto schiet grommend vooruit. Wanneer ze na
een paar seconden eindelijk weer in de spiegels durft te kijken, is het bestelbusje al niet meer te zien.

De productieassistente die ze eerder al aan de telefoon had
om de gang van zaken door te spreken, ontvangt haar in de
televisiestudio. 'Gaat het wel goed met u, mevrouw?' vraagt
het meisje, terwijl ze Lisa een beetje zorgelijk aankijkt.

Lisa knikt. 'Alles prima, hoor. Het was alleen een beetje
druk op de weg.' Ze peinst er niet over om over de gebeurtenissen van zojuist te vertellen. Ze beseft dat ze wederom
geen bewijsmateriaal heeft. En zonder bewijs ben je in de
ogen van anderen al gauw een overspannen fantast.

'Laten we dan eerst even naar de make-up gaan, dan kan ik
u intussen even inlichten over de gang van zaken vanavond.'

Gelaten laat Lisa zich meetronen naar de make-upkamer, waar ze de diepe kringen onder haar ogen vakkundig weggewerkt ziet worden. Dat scheelt enorm. De klap tegen de zijruit van de auto heeft haar een flinke bult opgeleverd, maar die is met een kleine aanpassing van haar kapsel amper zichtbaar. Een goed uiterlijk is essentieel op televisie, weet ze. Zeker vrouwen die hun hoofd boven het maaiveld uitsteken worden door andere vrouwen gretig geanalyseerd. Elke wal, vlek of puist wordt opgemerkt en uitgebreid besproken.

Langzaam aan begint ze zich weer een beetje beter te voelen. Op het parkeerterrein van de tv-studio had ze nog geprobeerd haar echtgenoot te bellen, maar die nam niet op. Lisa kijkt naar de goedgeklede zakenvrouw in de spiegel. Ze kan het best. Gewoon zakelijk zijn en doen wat er van haar verwacht wordt. Topvrouwen. Het glazen plafond. Vandaag zal ze haar niet zo populaire mening gaan verkondigen dat het aan de weinig ambitieuze vrouwen zelf ligt. Zij is namelijk het levende bewijs dat je als vrouw in Nederland heus wel de top kunt bereiken, zelfs als moeder van drie kinderen.

Een spiertje in haar rechterooglid begint hinderlijk te trekken. Dat gebeurt wel vaker als ze moe is. Ze hoopt maar dat het niet te zien is op tv.

De productieassistente duikt weer naast haar op. 'Over vijf minuten gaan we beginnen. Loopt u met me mee naar de studio, dan kunt u vooraf nog even kennismaken met de andere gasten en de presentatoren.'

Lisa loopt achter de productieassistente aan en neemt tegenover een roezemoezend publiek plaats aan de felverlichte grote ovalen tafel op het podium. De schrijver en de sporter zitten er al en knikken haar vriendelijk toe. Onder het intense licht van de studiolampen voelt Lisa de opkomende zweetdruppeltjes al broeien onder de dikke laag make-up. Ze ademt een paar keer diep in en uit en ziet hoe het populaire presentatorduo de studio binnenloopt. Ze schudden handen en de microfoons worden aan de kleding bevestigd en getest. De aanvangstune begint te spelen. Lisa concentreert zich.

'Goedenavond, dames en heren. Vanavond heten wij welkom: schrijver Jan van Krongen, zwemmer Daan Ophuizen en NLM-bestuurder Lisa van Ostade. Ook politica Jenny Groeningen zou hier vanavond aanwezig zijn, maar zij is helaas opgeroepen voor een spoeddebat. Gelukkig was advocaat Koen van Bruggen bereid om haar plaats in te nemen. De heer Van Bruggen vertegenwoordigt een groep slachtoffers in de rechtszaak die momenteel tegen NLM loopt.' Een mollige man in een geruit jasje schuift aan. Lisa herkent hem van de onderhandelingstafel. Ze hapt verontwaardigd naar adem. Wat is dit voor een gemene streek? Ze richt zich tot de presentator die het woord voert. 'Ik denk dat u zich vergist. We zouden vandaag over het glazen plafond praten. Daarom heb ik ingestemd met uw uitnodiging.' Lisa perst er een glimlach uit. De oudste van het presentatorduo reageert snel. 'Natuurlijk gaan we het ook over het glazen plafond hebben, mevrouw Van Ostade, maar daarnaast geven we de heer Van Bruggen de gelegenheid om zijn verhaal te vertellen.'

Het spiertje bij Lisa's oog begint weer te trillen. Ze denkt koortsachtig na. Hoe moet ze dit oplossen? 'Dan lijkt het me goed dat ik hierbij vooraf aangeef dat ik vanavond niet inhoudelijk zal reageren op hetgeen de heer Van Bruggen over de rechtszaak vertelt. De onderhandelingen zijn in volle gang en ik wil de zaak niet beïnvloeden door een televisieoptreden,' zegt Lisa met een misprijzende blik op de advocaat.

'Akkoord,' reageert de jongere presentator opgewekt. Lisa vloekt inwendig. Scoren, daar gaat het bij deze talkshow om. Ze had de uitnodiging nooit moeten aannemen. Maar wat kan ze anders? De imagoschade zal nog veel groter zijn als ze nu wegloopt.

Het gesprek over het glazen plafond voert Lisa op de automatische piloot. Ze heeft haar verhaal over topvrouwen al zo vaak verteld dat ze haar riedeltje vlot, met op zijn tijd een grapje of een kwinkslag, kan afdraaien. De bijdragen van de twee andere studiogasten gaan geheel aan haar voorbij. Ze is blij dat haar mening niet gevraagd wordt, want het is alsof al haar concentratievermogen voor vandaag opgebruikt is.

Dan is het de beurt aan Van Bruggen. Ze vermijdt zijn blik. Ze kan zich niet goed concentreren op wat hij zegt, maar de woorden 'schandalig', 'keiharde onderhandelingen', 'geen spijtbetuiging' en 'diep menselijk leed' dringen wel tot haar door. Het zweet breekt haar uit. Vanuit haar ooghoeken ziet ze dat een van de camera's non-stop op haar gericht staat om haar reactie te registreren. Haar ooglid begint weer hevig te trillen. Ze wordt overvallen door beelden die zich genadeloos aan haar opdringen. Ze ziet de grijns van de man in de witte bestelbus, de liefdeloze ogen van Harald, de verwijtende blikken van Henry en Franka, de stapels werk die op haar liggen te wachten en de ontstelde gezichten van al die mensen die ze de afgelopen jaren moest ontslaan.

Concentreer je, Lisa, corrigeert ze zichzelf. 'Blijf erbij.' Omdat ze de rechtszaak heeft overgedragen aan een team van gespecialiseerde topadvocaten, kent ze lang niet alle details. Dat is ook helemaal niet nodig. Als topbestuurder moet je de kunst van het delegeren tot in de finesses beheersen en dat doet ze. Zolang de advocaten maar hun stinkende best doen om er voor NLM de beste regeling uit te slepen. Alles is erop gericht om het voortbestaan van het bedrijf te garanderen. Ze probeert zich weer te concentreren op het gesprek, maar het is alsof ze zich in een vacuüm bevindt. Zou ze een hersenschudding hebben? Ze klapte wel erg hard met haar hoofd tegen het raam toen de bestelwagen haar tegen de vangrails probeerde te drukken. Haar gedachten gaan weer met haar op de loop. Ze ziet opnieuw de verwijtende blikken van haar kinderen, maar nu ook lange rijen van anonieme gezichten met dode, holle ogen. Ze staren haar aan. Komen dichterbij. Lisa hapt naar adem, maar krijgt geen lucht binnen. Nog een keer. Niets. Wie knijpt mijn keel dicht, denkt ze paniekerig. Laat los, wil ze roepen, maar er komt geen geluid meer uit haar mond. De wereld om haar heen vervaagt. De vormen in de televisiestudio vallen uiteen en veranderen in stippeltjes die zich van elkaar verwijderen. Ze tast om zich heen om te voorkomen dat ze valt, maar haar handen zijn nat van het zweet en vinden geen grip aan de tafelrand. De kleuren vervagen tot een zwarte brij. Langzaam voelt ze haar lichaam naar beneden glijden. Eigenlijk is het best aangenaam om hier weg te gaan, denkt ze. Ze hoort iemand haar naam noemen, maar gelukkig klinkt die stem heel ver weg. Ze ontspant haar lichaam en voelt tot haar opluchting dat ze soepel langs het zachte leer van de stoel naar beneden glijdt. Wanneer ze met haar hoofd hard op de armleuning van de stoel en vervolgens op de studiovloer smakt, voelt ze zich vooral bevrijd van de priemende, beschuldigende blikken. Hoewel ze bij haar positieven is, houdt ze haar ogen stijf gesloten en haar vuisten gebald. Pas als ze op een brancard de televisiestudio uitgedragen is, opent ze haar ogen weer.

29

Anna

Vanwege een defect navigatiesysteem is Anna te laat voor haar afspraak bij Lisa van Ostade. Ze rijdt de oprijlaan van een prachtige, verbouwde boerderij op. Het laatste halfuur heeft ze alleen maar bossen, weilanden en af en toe een boerderij of een schuurtje gezien. Anna kan zich als stadsmens niet voorstellen dat mensen zo afgelegen willen wonen. Misschien heeft dat iets te maken met het krijgen van kinderen. In de ogen van jonge ouders verandert de stad onmiddellijk in een woeste jungle vol met gevaren. Ze hoopt maar niet dat Maria en Laurens ook gaan verhuizen als ze eenmaal kinderen hebben.

Een naar gevoel overvalt haar bij de herinnering aan de gebeurtenissen met Laurens. Natuurlijk waren ze gestopt voordat er echt foute dingen konden gebeuren en natuurlijk had het in feite niets te betekenen, maar de hevige hartstocht die zij bij Laurens had gevoeld was veelzeggend. Het zou beter zijn om hem en Maria een tijdje te ontlopen. Bovendien vreest Anna dat Maria onmiddellijk in haar ogen kan lezen wat er gebeurd is.

Anna stapt uit haar auto en bekijkt de boerderij, die omringd wordt door een enorm grasveld, een moestuin, een garage en een bijgebouw dat een groot zwembad aan het oog onttrekt. In de zomer is het hier vast een paradijs, maar tijdens de lange koude winters, als de zon al om halfvijf ondergaat, moet het een eenzame bedoening zijn, bedenkt Anna. Geen buren, amper verkeer, alleen maar donkere bossen om je heen... Net het einde van de wereld.

Frank had haar die ochtend voordat ze thuis vertrok vanaf het vliegveld gebeld om te zeggen dat ze een beetje voorzichtig moest zijn met Lisa. Blijkbaar had Lisa in een live talkshow op televisie een soort van zenuwinzinking gehad. Anna had de uitzending zelf niet gezien, maar vond het vrij ernstig klinken. 'Waarom is ze niet in het ziekenhuis opgenomen?' vroeg ze geschrokken.

'Dat was niet nodig. Het leek ernstiger dan het was,' verzekerde Frank haar. 'Lisa werkt te hard. Met een beetje rust komt het vast weer goed. Steun haar maar een beetje namens mij. Wil je dat voor me doen, lieve Anna?'

De vrouw die de deur opent, lijkt in niets op de zelfverzekerde Lisa die ze kent van het vrouwennetwerk. Zonder make-up en in een ochtendjas ziet Lisa er veel ouder uit dan de vijfenveertig jaar die ze is. Zonder veel plichtplegingen nodigt Lisa Anna uit binnen te komen. Verontrust volgt Anna haar naar de grote woonkeuken. Ondanks de kou loopt Lisa op blote voeten. Zou het wel goed met haar gaan?

'Koffie?' vraagt Lisa met een uitdrukkingsloos gezicht als ze aan de keukentafel hebben plaatsgenomen. Anna knikt. Lisa gaat in de weer met het espressoapparaat. Het malen van de bonen maakt een enorme herrie. 'Heb je gisteravond televisiegekeken?' vraagt Lisa als het weer stil is. Ze staat nog steeds met haar rug naar Anna toe.

Anna schraapt haar keel. 'Nee, maar...'

Lisa draait zich om en kijkt haar met doffe ogen aan.

'Frank heeft me verteld wat er gebeurd is,' zegt Anna niet helemaal op haar gemak.

'Ik ben ingestort op televisie, tijdens een live talkshow,' zegt Lisa met een wrang lachje. 'Er is geen beter moment denkbaar.'

'Daar heb je een punt,' antwoordt Anna in een poging tot een grapje. Als ze nerveus is gaat ze altijd grapjes maken. Domme neiging. Tot haar verbazing begint Lisa hard te lachen. Beleefd lacht Anna mee.

Abrupt stopt Lisa weer. 'Ik word bedreigd,' zegt ze dan.

'O?' antwoordt Anna. 'Door wie?'

'Wist ik het maar. Het gebeurt op een ontzettend achterbakse manier. Anoniem. Van die gemene plaagstootjes waar ik bij de politie niet mee kan aankomen. Die geloven me trouwens sowieso niet meer.'

Anna begint zich een beetje ongemakkelijk te voelen. Wat is er met deze vrouw aan de hand? Is ze de kluts kwijt? 'Wat voor dingen dan?'

'Me van de snelweg proberen te duwen, me achtervolgen

tijdens het hardlopen, mijn portemonnee jatten, het huis binnensluipen, mijn zoon ontvoeren.'

'Ontvoeren?' Anna slaat geschrokken haar hand voor haar mond.

'En een paar uur later weer terugbrengen.'

'Maar dan heb je toch een signalement?'

'Vaag, want mijn zoon is een beetje een aparte. Asperger, weet je wat dat is?'

Anna schudt haar hoofd.

'Hij is autistisch.' Lisa ziet er mogelijk nog moedelozer uit dan zojuist als ze verder praat. 'Ik heb de man die het op me gemunt heeft alleen gezien toen hij me probeerde te rammen op de snelweg, maar het was donker en hij had een capuchon op.'

Anna voelt zich koud worden vanbinnen. Ze slaat haar armen om zich heen.

'Er gebeuren de laatste tijd zoveel rare dingen... Ik durf geen vreemden meer binnen te laten, ik maak me ernstig zorgen over mijn kinderen. Daarom wil ik zo snel mogelijk wat zaken aan het huis laten doen om het wat veiliger te maken, want als je je zelfs in je eigen huis niet meer veilig voelt dan... dan...' Lisa's stem hapert.

Als Anna naar het bleke gezicht van Lisa kijkt, voelt ze een intens medelijden met de vrouw die ze altijd zo bewonderd heeft. 'Goed,' zegt ze kordaat. 'Als jij je eerst even aankleedt, dan maken we daarna een rondje door en om je huis om te kijken wat je allemaal nodig hebt en hoe we dat aan kunnen pakken zonder er een Fort Knox van te maken.'

Wanneer ze twee uur later na een grondige inspectie eindelijk weer in de keuken terug zijn, heeft Anna een flinke lijst opgesteld. 'Het is helaas geen kwestie van even naar de doe-het-zelfwinkel rijden en een paar anti-inbraakstrips bevestigen. Je moet kiezen voor een compleet beveiligingsplan met een alarmsysteem, camera's en bewegingssensoren. Wij hebben goede ervaringen met een beveiligingsbedrijf. Ik kan ze voor je bellen als je wilt.'

Er verschijnt iets van opluchting is Lisa's ogen. 'Dat zou ik heel erg op prijs stellen, Anna. Vraag je dan wel of ze zo snel mogelijk komen? Geld speelt geen rol.'

'Ik regel het voor je,' antwoordt Anna.

Wanneer ze even later bij de deur afscheid nemen, ziet Lisa er stukken beter uit dan eerder die ochtend. De vrouwen schudden elkaar hartelijk de hand.

'Anna, hartelijk dank voor je hulp en voor het luisterend oor,' zegt Lisa terwijl ze er bijna verlegen uitziet.

'Dat was niet moeilijk voor me, Lisa. Eerlijk gezegd herken ik je probleem wel een beetje,' antwoordt Anna zacht.

'Wat bedoel je?'

Anna twijfelt of ze meer moet vertellen.

'Ik word ook lastiggevallen.'

'Jij ook?' vraag Lisa met opengesperde ogen.

Anna knikt en voelt dat er tranen in haar ogen springen.

'Wil je erover praten?' vraagt Lisa.

Anna kijkt de vrouw met wie ze zich in korte tijd zo verbonden is gaan voelen, verlegen aan. 'Misschien zal dat helpen,' fluistert ze.

'Nog een kopje koffie?' vraagt Lisa terwijl ze Anna terug naar de keuken dirigeert. Daar gaan ze weer aan tafel zitten.

'In mijn geval is het iemand die me blijkbaar wil straffen voor mijn fouten,' zegt Anna. Ze denkt aan de envelop die ze die ochtend bij de post aantrof. Er zaten foto's in van haar en Laurens in een stevige omhelzing. 'Hij ziet alles wat ik doe,' zegt Anna en begint te vertellen. Als ze klaar is, kijkt Lisa haar onthutst aan.

Anna rilt. Zou hij nu ook naar hen kijken?

30

Ewoud

Bibberend trekt Ewoud de blauwrood geblokte deken wat dichter om zich heen. Klotewinter. Na een lange periode van typisch Nederlands kwakkelweer wordt het nu snel kouder. Ewoud kan niet tegen de kou. Dat is altijd zo geweest. Hij denkt terug aan het verontschuldigende glimlachje van zijn vader naar de andere ouders wanneer hij als klein ventje met blauwe lippen bibberend uit het zwembad kroop na een veel te lange, ijskoude zwemles. 'Hij groeit er wel overheen,' zei zijn moeder altijd vergoelijkend, maar dat was niet zo. Zodra het kwik onder de tien graden zakt, moet Ewoud minimaal drie lagen kleding dragen om op temperatuur te blijven. Tot zijn grote ellende is zijn tochtige woning amper te verwarmen met de gaskachel, waardoor hij genoodzaakt is om op echt koude dagen drie truien te dragen of een deken om zich heen te slaan.

Ewoud heeft hoofdpijn van al het piekeren. Hij was verbijsterd toen Van der Kamp stug bleef volhouden niets met de gekmakende telefoontjes van doen te hebben. Achteraf gezien had hij diep vanbinnen altijd al getwijfeld aan het idee dat Van der Kamp de persoon was die hem het leven zo zuur maakte. Van der Kamp accepteert niet dat er met hem gesold wordt, dat is zeker, maar nu Ewoud hem weer in levenden lijve ontmoet heeft, acht hij de man niet het type dat overgaat tot telefonische pesterijen om zijn zin te krijgen. Ewoud schudt zijn hoofd. Nee, dat past niet bij Van der Kamp. Maar wat betekent dat? Wie doet het dan? En waarom? Ewoud krijgt het van die vragen nog kouder. Hij overweegt de mogelijkheden. De eerste voor de hand liggende verdachte is Fleur. In de voogdijzaak zou het natuurlijk helpen als hij officieel gestoord verklaard werd, want dat zou de gemakkelijkste manier zijn om hem voorgoed uit Anouks leven te laten verdwijnen. Maar zou zijn ex-vrouw zover gaan? Dat is toch moeilijk te geloven. Wie dan? Ilse misschien? Hij denkt terug aan de vrouw die uiteindelijk de oorzaak was geweest van zijn scheiding van Fleur. Het jaloerse kreng had Fleur destijds zonder scrupules ingelicht over hun nietszeggende avontuurtje. Kort daarna had Fleur de scheiding aangevraagd.

Somber zet hij de televisie aan. Om beter na te kunnen denken, dempt hij het volume. Zonder echt iets te zien staart hij naar de beelden op het scherm. Zou Ilse nog steeds om hem treuren? Hij schudt zijn hoofd. Nee, dat is onzin. Ewoud dooft zijn sigaret en opent een flesje bier. De dop belandt met een rinkelend geluid op het wankele, houten salontafeltje dat hij voor een paar euro bij de kringloopwinkel heeft gekocht. Er scheert weer een vliegtuig over. Hij graaft diep in zijn geheugen. Iemand van het werk misschien? De laatste twee jaar heeft hij allerlei baantjes gehad: postbode, fabrieksarbeider en nu dan fietskoerier. Nergens heeft hij vijanden gemaakt. Althans, niet dat hij weet. Hij kan zich geen serieuze incidenten herinneren. Hij neemt aan dat de meesten van zijn collega's hem maar een loser vinden, niet eens de moeite waard om kwaad op te worden. Ewoud staat op om een nieuw flesje bier uit de kelder te halen. Het is er aardedonker. Lamp kapot. Natuurlijk heeft hij geen nieuwe lamp in huis. Tastend daalt hij de betonnen trap af en neemt de hele krat bier mee naar boven zodat hij deze beproeving straks niet nog een keer hoeft te doorstaan. Hij ploft weer op de bank. Misschien moet hij zich morgen maar weer beter melden bij het koeriersbedrijf. Zijn baantje bevalt hem prima en hij moet er niet aan denken om weer een andere te moeten gaan zoeken. Zijn oog valt op het televisiescherm. Een vrouw die hem enigszins bekend voorkomt, vult het beeld. Hij zet het geluid wat harder en hoort dat ze praat over het gebrek aan topvrouwen in het bedrijfsleven. Een beroemde schrijver, een topsporter en een hem onbekende man luisteren schijnbaar ongeïnteresseerd naar haar. 'Saai,' mompelt Ewoud, terwijl hij het volume weer zacht zet. Hij heeft helemaal geen zin in een klaagverhaal over het zogenaamde glazen plafond. Onzin vindt hij het. De meeste vrouwen die hij kent, zijn niet van die carrièretijgers. Ze willen genoeg verdienen om leuke kleding te kunnen kopen en dat is het dan wel. Fleur werkte tijdens hun huwelijk twee dagen per week in een chique boetiek. Een plek waar ze voortdurend bezocht werd door vriendinnen en waar ze niet veel anders deed dan eindeloos roddelen. Hij vond het prima. Als vrouwen dat willen, moeten ze dat toch lekker zelf weten. Eigenlijk moet hij toegeven dat hij het tegenwoordig zelf ook prettig vindt om ambitieloos te zijn. Als hij zijn huur, brood, bier en af en toe een cadeautje voor Anouk kan betalen, vindt hij het wel prima. Het is heerlijk om geen verantwoordelijkheid meer te hoeven dragen.

Wanneer hij naar een andere zender wil zappen, is er iets wat hem tegenhoudt. Het uiterlijk van de zakenvrouw is veranderd. Het is alsof ze onder haar bruine laag make-up lijkbleek is weggetrokken. Druppels zweet parelen op haar voorhoofd. Terwijl de onbekende man aan de gesprekstafel met een boze gezichtsuitdrukking en een belerend vingertje op haar inpraat, zwiept het beeld onrustig tussen de twee heen en weer. De kaken van de vrouw malen, terwijl ze nerveus op haar onderlip bijt. Het ziet er hoogst eigenaardig uit. Ze maakt helemaal geen oogcontact meer en lijkt in een soort van trance te zijn. Is die vrouw aan het doordraaien? Gefascineerd zet Ewoud het geluid weer harder. Op datzelfde moment ziet hij haar in een wanhopige beweging naar de rand van de tafel grijpen. Dan glijdt ze van haar stoel en verdwijnt onder de tafel – de camera registreert het allemaal genadeloos. Dan komen de andere studiogasten in beeld, die verbijsterd naar beneden staren. Even is het doodstil, en daarna schieten er allerlei mensen door het beeld en niet veel later verschijnt een pauzemelding.

Ewoud staart naar de televisie. Waar kent hij die vrouw

van? Het is niet van de televisie of de krant. Het is van dichterbij. Waarvan dan?

Het geluid van de deurbel doet hem opschrikken. Wie kan dat in vredesnaam zijn? Het is al laat.

Wanneer hij de deur eindelijk van het slot heeft, ziet hij niemand. Een ijzige kou waait naar binnen. Ewoud trekt de deken wat steviger om zich heen en kijkt de donkere, slecht verlichte straat in. Her en der zijn lantaarnlampen kapot, zwerfvuil dwarrelt mee op de noordoostelijke wind. Niemand te zien. 'Belletjetrekkers,' bromt hij en hij trekt de deur met een klap weer dicht. Daardoor dwarrelt een papiertje op dat in een elegante zweefvlucht op de deurmat belandt. Ewoud zakt door zijn knieën en raapt het papiertje op. Het is zo'n grauw gerecycled kladblokvelletje. Voorzichtig vouwt hij het open. Dat gaat niet soepel, zijn vingers voelen stijf aan. De korte boodschap op het briefje ontneemt hem de adem.

Ontzet laat hij zich tegen de voordeur vallen. Wat gebeurt er allemaal? Dit kan toch niet? Is Van der Kamp wel eerlijk geweest? Waarom doet hij dit? En als hij het niet was, wie doet dit dan wel? Niemand weet ervan. Niemand mag ervan weten. Zijn hoofd tolt en omdat hij bang is om onderuit te gaan, wankelt hij terug naar de bank. Op televisie zegt de presentator dat mevrouw Van Ostade weer in orde is, maar dat ze niet meer zal deelnemen aan het gesprek. Bij het horen van haar naam schiet Ewoud plotseling te binnen waar hij haar van kent. Hij rent naar de wc en leegt zijn darmen.

31

Lisa

Gefrustreerd verbreekt Lisa de verbinding. Janine meldde haar dat de belangrijkste aandeelhouders na de televisie-uitzending stuk voor stuk hadden gebeld om te vragen of mevrouw Van Ostade wel in orde was en of de aandeelhoudersvergadering door zou gaan. 'Verdorie, dit loopt helemaal mis,' fluistert Lisa, terwijl ze op de nagel van haar pink bijt, een slechte gewoonte uit haar jeugd.

'Wilt u thee?'

Betrapt kijkt Lisa op en door die beweging scheurt de nagel tot aan het vlees. 'Shit,' zegt ze zacht, terwijl ze snel de schade opneemt. Ze had mevrouw Kierkenboom niet eens de ruime huiskamer horen binnenkomen. Eigenaardig is dat, want sinds de bedreigingen zijn begonnen, is ze juist voortdurend gespitst op geluiden en onverwachte bewegingen. Lisa kijkt naar de degelijke instappers met spekzolen van haar nieuwe huishoudster, die zich geruisloos over de enorme

Perzische tapijten voortbeweegt. Haar gezwollen voeten zijn gehuld in een vleeskleurige panty en puilen over de schoenrand heen. Het doet Lisa denken aan haar oma.

Lisa forceert een glimlach. 'Dat zou ik heel lekker vinden. Dank u.' Ze kijkt de vrouw na als ze de kamer uitloopt. Er is helemaal niets op deze dame aan te merken, maar toch zou Lisa zielsgelukkig zijn als Jasja eindelijk terug zou komen uit Polen. In deze beangstigende tijd verlangt ze hevig naar het veilige en vertrouwde waar de doortastende Jasja voor staat. Tot haar verbazing mist ze niet alleen het praktische aspect, maar ook het persoonlijke. Tegen Jasja kan Lisa alles zeggen, zij veroordeelt haar niet. Ze luistert aandachtig en komt uiteindelijk met een of andere simpele Poolse boerenwijsheid op de proppen, waar Lisa meestal hard om moet lachen. Ze had nooit eerder beseft dat Jasja in al die jaren misschien wel haar beste en meest vertrouwde vriendin is geworden.

Maar nu is Anna er. Ondanks hun klik op de vrouwennetwerkclub had Lisa nooit gedacht dat ze de veel jongere Anna als zo'n goede vriendin zou gaan beschouwen. Ze bellen elkaar zowat elke dag. Om elkaar moed in te spreken, op te beuren en eigenlijk ook wel een beetje om te controleren of alles nog in orde is. Anna lijkt net zo eenzaam te zijn als zijzelf.

Tot haar grote opluchting is Anna gisteren teruggekeerd uit Grenoble. Omdat Wim nog steeds in het buitenland zit, had Lisa, na lang twijfelen, Anna gevraagd om mee te gaan naar de aandeelhoudersvergadering. Haar vriendin keek niet merkbaar op van haar verzoek en stemde onmiddellijk in. Lisa ziet enorm op tegen de vergadering. Zij vormt een bedreiging voor de financiële zekerheid van de aandeelhouders en Lisa weet dat als het om geld gaat, het dunne laagje beschaving van mensen niet veel waard is. Met alle concentratie die ze nog kon opbrengen, heeft ze eerder vandaag de dossiers van de advocaten bestudeerd. Ze probeerde de details in haar hoofd te stampen en herhaalde voor zichzelf de boodschap dat NLM in de rechtszaak zo stevig staat als een huis. Het punt is dat het anders voelt. Vroeger kon ze met haar bravoure veel oplossen, maar nu heeft ze het gevoel dat iedereen dwars door haar heen kan kijken. Wat moet ze doen als haar ooglid weer zo raar begint te trillen? Wat als ze weer onderuitgaat? Ze krijgt het er Spaans benauwd van.

Lisa staat op van de bank en kijkt door het raam naar de dreigende, donkere bosrand. In de lente, zomer en herfst kan ze intens genieten van het wonen op het platteland, maar zodra de winter invalt en de natuur gaat slapen, is dat afgelopen. Alles wordt grijs, grauw en kaal en zoals de meeste plattelanders trekt ook Lisa zich dan terug in haar warme woning en komt ze zo weinig mogelijk buiten. Lisa hoort de deur opengaan. Het gerinkel kondigt mevrouw Kierkenboom aan die de theetrolley binnenrijdt. Ze zet het karretje naast de bank. Zwijgend schenkt Lisa haar thee in. Ze heeft het koud, de warme vloeistof zal haar vanbinnen verwarmen.

Inmiddels is het inbraakalarm geactiveerd en zijn er bewakingscamera's en sensoren geplaatst, maar eigenaardig genoeg voelt Lisa zich onveiliger dan voorheen. De genomen maatregelen doen haar alleen maar beseffen dat ze zonder problemen in duizenden stukjes kan worden gehakt voordat iemand van het beveiligingsbedrijf haar kan bereiken. Ze woont te afgelegen. Haar enige troost is dat er dan waarschijnlijk wel camerabeelden van haar moordenaar zullen zijn. Ze slaapt met het licht aan. De naarste gedachten schieten voortdurend door haar hoofd. Ze ziet de bleke gezichtjes van haar kinderen voor zich. Franka, Henry, Harald. Als hij maar van hen afblijft. Ze heeft hun niets verteld over de bedreigingen, maar ze voelen dat er wat mis is. Kinderen houd je niet voor de gek. Bovendien missen ze Wim. Ook dat is duidelijk te merken. Hoewel Lisa haar uiterste best doet, merkt ze steeds vaker dat ze tekortschiet. Zakelijk gezien is ze een multitask-talent, maar privé is het wat minder succesvol. Voor kinderen moet je de tijd nemen, oprechte aandacht hebben. Dat weet ze heus wel. Ze zou dat ook ontzettend graag willen, maar hoezeer ze ook haar best doet, ze kan de voortrazende gedachten over haar werk niet stilzetten. Er zijn altijd ideeën, invallen, dingen die nog geregeld moeten worden. Haar kinderen merken het onmiddellijk wanneer ze er met haar hoofd niet bij is. Soms is ze jaloers als ze Wim rustig een spelletje ziet doen met de kinderen. Ze zou er veel voor overhebben om meer te kunnen genieten van die kleine dingen in het hier en nu. Misschien als het straks wat rustiger is en als Wim en Jasja weer terug zijn. Misschien dan.

De bel gaat. Door het raam ziet ze de auto van Anna de oprijlaan oprijden. Lisa kijkt toe terwijl de elegante brunette uit haar zwarte Golf stapt.

32

Anna

Anna tuurt naar de slecht onderhouden landweg langs het kanaal die ze heeft genomen om de verkeersdrukte te omzeilen. Het begint al donker te worden en de in flarden opkomende mist verbetert het zicht niet bepaald. Haar ogen doen pijn. Eigenlijk is ze doodmoe, maar ze wil Lisa niet teleurstellen. Die arme vrouw heeft het al zwaar genoeg te verduren. Vanuit haar ooghoeken kijkt ze naar haar nieuwe vriendin, die naast haar op de passagiersstoel in haar Golf zit. Haar handen liggen rusteloos op haar bovenbenen. Lisa van Ostade, een van de machtigste vrouwen van het land, is veranderd in een hoopje ellende. Kapotgemaakt door een mysterieuze persoon met onbekende bedoelingen. Anna vraagt zich af of Lisa de aandeelhoudersvergadering niet beter kan uitstellen tot ze zich wat beter voelt, maar Lisa wil daar niets van weten. Volgens haar is het van het grootste belang dat de vergadering doorgaat.

Toen ze Lisa eerder die middag thuis ophaalde, waren de jongste kinderen juist samen met de huishoudster uit school gekomen. Het schattige meisje leek sprekend op haar moeder en kletste meteen honderduit. Het middelste kind, Henry, had zijn schooltas op tafel neergekwakt en was ondanks de kou en Lisa's zorgelijke blik naar buiten gerend om daar te gaan spelen. De oudste zoon werd even later met een busje thuisgebracht. Een wezelachtig ventje, dat zonder hen aan te kijken of iets te zeggen langs hen heen naar boven geslopen was. Zo kan je kind dus ook worden, beseft Anna. Het leven is net een loterij.

Anna en Lisa hadden samen besloten om alsnog aangifte te doen van de laatste incidenten. Maar omdat ze geen bewijs hadden en beiden geen enkel vermoeden hadden wie hun belager zou kunnen zijn, leek de politie er niet veel mee te kunnen en willen doen. Lisa kon de aangifte in ieder geval nog gebruiken om de schade aan haar Audi op de verzekering te verhalen. Anna's verslag van haar nacht met Eric was haar op een afkeurende blik komen te staan van de vrouwelijke agente die haar aangifte opnam. Achteraf had ze spijt dat ze die aangifte gedaan had, want god weet wat de agente van haar dacht.

Anna wordt verdrietig van die gedachte. Wat zou Maria van haar denken als ze achter haar escapade met Laurens kwam? Vermoedelijk zou ze niets meer met haar te maken willen hebben. Nooit meer. Die gedachte kan ze niet verdragen. Wat is er verdorie mis met haar? Waarom altijd die getrouwde mannen? Waarom kan ze nooit eens een normale relatie hebben? Afgelopen week in Grenoble was het weer gebeurd. Zoals altijd waren haar dagen helemaal volgepland en als ze dan eindelijk terugkwam in het hotel moest ze even uitblazen. Om goed te kunnen slapen nam ze meestal nog een afzakkertje in de hotelbar. Vaak met Frank, soms alleen. Op een van die eenzame avonden waarop ze niets liever wilde dan een troostende arm om haar heen, was ze een aantrekkelijke Franse zakenman tegen het lijf gelopen. Hij zei en deed alle juiste dingen en voor ze het wist was ze in zijn hotelkamer beland. Achteraf denkt ze dat ze de man vooral gebruikt heeft om de smaak van Laurens van zich af te spoelen, maar veel hielp het niet. De volgende ochtend werd ze wakker van het geluid van de telefoon. Aan de paniekerige reactie van de man te zien was het zijn echtgenote en Anna had zich daarom snel uit de voeten gemaakt. Het was niet de eerste keer dat ze geconfronteerd werd met de getrouwde status van haar onenightstand, maar het was wel de eerste keer dat ze zich er daarna echt slecht over voelde. Natuurlijk kon ze vooraf niet weten dat deze man getrouwd was, maar meestal had ze daar wel een intuïtief gevoel over. Later zag ze haar eenmalige minnaar nog bij de receptie staan. Hij durfde haar niet eens aan te kijken. Voor het eerst in haar leven voelde ze zich goedkoop.

Anna passeert een fietser. Lisa bladert zenuwachtig door haar papieren. Zo meteen wordt ze voor de leeuwen gegooid. Anna heeft met haar te doen. Het is niet niks om de verantwoordelijkheid voor een bedrijf te dragen. Zolang zij bij Frank in dienst is, kan ze zelf in de luwte blijven als er kritiek op het bureau is. Frank krijgt alle eer, maar ook de schuld als er iets fout gaat. Ze denkt terug aan die keer dat er een door Frank ontworpen balustrade ingestort was. Het bleek een fatale combinatie te zijn van een constructiefout en een verkeerde materiaalkeuze. Gelukkig waren er geen gewonden gevallen, maar Frank was er kapot van. Het is inmiddels jaren geleden, maar bij de geringste aanleiding wordt het weer opgerakeld. Ze moet er niet aan denken dat zoiets haar straks als zelfstandige overkomt. Toch komt steeds vaker het idee in haar op dat het tijd wordt om een volgende stap in haar carrière te zetten. Anna de Wit Architects. AWA. Klinkt best goed. Mensen zeggen haar regelmatig dat de tijd er rijp voor is. Ze zeggen dat Frank te veel op haar leunt, dat hij zijn flair en creativiteit kwijt is en met de eer strijkt van haar ideeën. Ze zeggen dat hij haar klein probeert te houden, zodat ze bij hem blijft. Dat ze het andersom moet zien: dat niet zij afhankelijk is van Frank, maar hij van haar. Anna heeft grote moeite met deze kwaadsprekerij. Frank is de man die haar het vak heeft geleerd. Alles wat ze heeft bereikt, heeft ze aan hem te danken. Hoe kan ze ooit bij hem weggaan?

Opeens klinkt er een harde klap, gevolgd door een regen van rondvliegend glas. Anna komt even los van haar stoel, maar de veiligheidsgordel voorkomt dat ze tegen de voorruit slaat. Lisa's papieren vliegen door de auto.

'Jezus, wat was dat?' roept Anna geschrokken, maar voordat Lisa kan antwoorden, doemt in haar spiegel een witte bestelbus op uit de mist die in volle vaart nadert en haar van achteren ramt. Opnieuw klinkt er een harde klap. De veiligheidsgordel striemt diep in Anna's borst en buik. De Golf begint vervaarlijk te slingeren en als Anna remt, raakt de auto in een slip. Snel geeft ze gas bij en weet ze de auto onder controle te houden. In de rechterspiegel ziet ze de bestelbus nu half naast haar verschijnen.

Lisa's gegil overstemt het geluid van de motoren. 'Hij is het, Anna! Hij komt ons vermoorden!'

Anna kijkt schuin over haar schouder. Achter het stuur zit een man met een donkere capuchon op. Opnieuw een harde dreun. Anna probeert tegen te sturen, maar de bestelbus drukt hard door. De Golf komt in de berm terecht en begint te stuiteren.

'Het kanaal! Hij wil ons het kanaal induwen! Remmen!' schreeuwt Lisa.

Maar voordat Anna de auto tot stilstand kan brengen, voelt ze dat hij ergens hard tegenaan botst. Haar maag trekt samen. De wereld begint te draaien. Razendsnel. Even, heel even, stopt het gedraai en voelt het alsof ze vliegt. Ben ik al dood? denkt ze verbaasd. Maar ze weet dat dat niet zo is als ze de intense pijn in haar voet voelt op het moment dat de auto hard op het wateroppervlak klapt.

IJskoud water stroomt door de kieren en het kapotte achterraam naar binnen. De elektrische ramen weigeren dienst. Vreemd genoeg voelt Anna een rust over zich komen. Dit heeft ze eerder meegemaakt. Ze kijkt naar het donkere, opkomende water en negeert de pijn in haar voet. Haar stem klinkt verbazingwekkend kalm. 'Lisa. Klik je riem los. Ga naar de achterbank en klim zo snel je kunt de auto uit.'

33

Begint de ernst van de situatie een beetje tot jullie door te dringen? Beseffen jullie nu eindelijk dat de wereld niet om jullie draait? Vanaf nu bepaal ik wat er gebeurt.

34

Ewoud

'*What the fuck…*' roept Ewoud verontwaardigd terwijl hij overeind krabbelt en het witte bestelbusje nakijkt dat zojuist op hoge snelheid rakelings langs hem heen is gescheurd. Van schrik is hij in de berm terechtgekomen en van zijn fiets gevallen. 'Gore klootzak,' moppert Ewoud terwijl hij het zand van zijn kleding veegt en het pakketje in zijn rugzak controleert. Het lijkt ongehavend. Hij stapt weer op zijn fiets, want hij moet opschieten. Zijn baas heeft hem de uitdrukkelijke opdracht gegeven om het pakje om stipt 17.00 uur te bezorgen op een adres ten noorden van de stad. Het heeft te maken met een huwelijksaanzoek. Als hij op de pedalen gaat staan, schiet hij even door. Maar zodra hij aan de versnellingen frunnikt, legt de ketting zich knarsend weer op het juiste tandwiel. Moeizaam zet hij zich in beweging. Zijn rechterdijbeen doet pijn van de val. Het begint al aardig donker te worden en samen met de mist zorgt dat ervoor dat de contouren van de omgeving langzaam beginnen te vervagen. Zijn vingers tintelen van de kou en ook zijn tenen zijn ijskoud. Ewoud knijpt zijn ogen samen om beter te kunnen zien en constateert tot zijn verbazing dat het witte bestelbusje een eindje verderop geparkeerd staat. Nerveus kijkt hij om zich heen. Er komt weinig verkeer over dit weggetje sinds een aantal jaren geleden verderop een autoweg is aangelegd. Hij houdt in en denkt na. Waarom staat dat busje daar? Wacht het op hem? Of is de chauffeur iets onschuldigs aan het doen, zoals het instellen van het navigatiesysteem? Het zit hem niet lekker. Dat busje heeft hem zojuist van de sokken gereden. Wie zegt dat die chauffeur niets kwaads in de zin heeft? De achterlampen van het busje verspreiden een rood licht. Ewoud aarzelt. Zal hij omdraaien? Een paar honderd meter terug heeft hij een boerderij gezien. Het zint hem helemaal niet dat hij voor een bezorgopdracht naar zo'n afgelegen plek is gestuurd. Normaal komt hij niet verder dan de industrieterreinen aan de rand van de stad, en dit landelijke gebied ten noorden van de stad kent hij niet zo goed. Achter hem doemen koplampen van een auto op. Gelukkig, meer verkeer. Hij haalt opgelucht adem. Dit is zijn kans. Hij gaat op de trappers staan en schiet vooruit. Wanneer hij het geparkeerde busje passeert, kijkt hij niet op of om en fietst zo hard als hij kan voorbij. Een zwarte Golf passeert hem en verdwijnt in de mist. Het is weer stil. Ewoud hoort alleen zijn ademhaling en het zuigende geluid van de fietsbanden op het wegdek. Hij kijkt om. De bus staat nog op dezelfde plek. Hij kijkt op zijn horloge, hij moet opschieten. Zijn baas vergeeft het hem nooit als hij te laat komt. Beelden van een man die alles perfect heeft gepland en wanhopig wacht op de komst van een verlovingsring, dringen zich aan hem op. Er zijn nogal wat mensen die een hoop heisa willen maken van dat soort momenten. Hijzelf niet. Hij herinnert zich dat Fleur enorm teleurgesteld was toen hij op een doordeweekse avond tijdens het eten had gezegd dat ze maar beter zouden kunnen gaan trouwen.

'Is dit een huwelijksaanzoek?' vroeg ze beteuterd.

Hij knikte aarzelend. 'Wil je?'

Met een bleek gezichtje zei ze ja. Ondanks zijn lompe aanzoek had ze niet geweigerd, maar toen ze eenmaal getrouwd waren had ze hem tijdens elke ruzie zijn gebrek aan romantiek verweten. En dat was vaak.

Een luid gegrom, gevolgd door een fel licht schrikt hem op uit zijn overpeinzingen. Het busje komt eraan. Ewoud kijkt om en ziet de koplampen met hoge snelheid naderen. Hij gaat me weer snijden, denkt hij paniekerig. Ewoud trapt zo hard mogelijk. Hij hoort het geronk van de auto naast hem. Ga weg, ga weg, denkt hij, maar het busje blijft pesterig naast hem rijden. Net als Ewoud voldoende moed heeft verzameld om zijn belager in de ogen te kijken, geeft de bestuurder gas en schiet het busje weg.

'Asociale klojo!' roept Ewoud hem na. Hij laat zijn tempo iets zakken. Op zijn horloge is het 16.55 uur. Het is al bijna donker en de mist is nog dikker geworden. Hij heeft een zicht van amper tien meter. 'Niks ergers dan die waterkoude Nederlandse klotewinters,' bromt hij.

In de verte klinkt een doffe dreun. Gealarmeerd fietst hij door. Even verder ziet hij remsporen op de weg overgaan in diepe voren in de berm langs het kanaal. Is er een auto in het water gereden? Ewoud stopt, legt zijn fiets neer en tuurt naar het donkere wateroppervlak. Is het witte bestelbusje het kanaal ingereden? Een plonzend geluid doet de haartjes op zijn armen rechtop staan. Hij speurt het donkere oppervlak af. Dan ziet hij het: er zwemt iemand in het water.

'Hela!' roept hij met overslaande stem. De persoon draait zich hevig spartelend naar hem om om vervolgens onder water te verdwijnen. Zonder nadenken springt Ewoud het water in en zwemt met krachtige slagen naar de persoon, die weer boven water is gekomen. Als hij dichterbij is, ziet hij dat het een vrouw van middelbare leeftijd is. Haar haren zitten tegen haar gezicht geplakt, ze maakt ongecontroleerde bewegingen met haar armen en hapt paniekerig naar adem.

'Er zit nog iemand in de auto,' zegt ze hijgend als ze hem ziet. 'Alsjeblieft, ga haar redden,' smeekt de vrouw. 'Ik kom zelf wel naar de kant.'

In een paar tellen neemt Ewoud een besluit. 'Naar de oever. Nu!' commandeert hij de vrouw voordat hij diep ademhaalt en onder het donkere wateroppervlak duikt. Hij opent zijn ogen en kan niets onderscheiden, het is inktzwart om hem heen. Totaal gedesoriënteerd zwemt hij zo ver mogelijk naar beneden. Een meter of drie, vermoedt hij. Hij voelt planten en modder op de bodem van het kanaal, maar geen auto. Na een paar seconden rondtasten beginnen Ewouds ogen vormen te onderscheiden. Zoekend zwemt hij rond. Als zijn longen zowat uit elkaar barsten krijgt hij een zwarte auto in het vizier die op vijf meter afstand van hem keurig op vier wielen geparkeerd op de bodem staat. Snel zwemt hij erheen. Voordat hij toegeeft aan de dringende behoefte aan zuurstof, ziet hij een gestalte in de auto zitten.

Hij schiet naar boven, hapt adem en duikt onmiddellijk weer onder. Hard trekt hij aan het portier aan de bestuurderszijde, maar het zit muurvast. Zo vlug hij kan zwemt hij naar de achterkant van de auto. Het achterraam ligt eruit. Overal liggen glasscherven. Hij wurmt zich naar binnen en tikt de vrouw tegen haar gezicht. Ze reageert niet. Ewoud manoeuvreert zich op de stoel naast haar, tast naar de veiligheidsgordel, maar merkt dat die al loszit. Hij pakt de vrouw onder haar oksels en trekt hard. Geen beweging. Hij trekt harder. Niets. Zijn longen lijken te klappen. Met alle kracht die hij in zich heeft, trekt hij nog een keer, maar tevergeefs. Ewoud wringt zich de auto weer uit en zwemt naar de oppervlakte.

Als hij boven is en naar adem hapt, welt de paniek in hem op. 'Het gaat niet. Het gaat niet,' mompelt hij radeloos. Zijn natte kleding voelt als lood aan zijn lijf. Een dodelijke vermoeidheid overvalt hem. Ontgoocheld kijkt hij naar de oever en ziet dat de andere vrouw wilde gebaren naar hem maakt. 'Ga haar halen!' roept ze. 'Alsjeblieft.'

Ewoud zuigt zijn longen vol en duikt weer onder. Je kunt die vrouw daar niet zomaar laten sterven, denkt hij. De vrouw op de passagiersstoel zit nog steeds in de positie waarin hij haar heeft achtergelaten. 'Loskomen,' smeekt Ewoud

stilletjes voordat hij met een uiterste krachtsinspanning aan
de vrouw trekt. Weer niets. Zo zwaar kan ze toch niet zijn,
denkt hij vertwijfeld. Dan krijgt hij een idee. Ze zit bekneld.
Haar voet zit vast. Hij buigt voorover en voelt met zijn hand
onder haar stoel. Haar onderbeen ligt in een rare kronkel
onder de stoel gevouwen. Hij duwt ertegen. Geen beweging.
Nog een duw, harder. Niets. Nog één, met alle kracht die hij
nog in zich heeft. Tot zijn grote geluk schiet de voet los. Onmiddellijk verplaatst het lichaam van de vrouw zich door de
auto. Ewoud heeft amper nog bewegingsruimte. Hij duwt
haar opzij, vecht zich langs haar heen naar de achterbank en
grijpt haar bij haar haardos. Daaraan sleurt hij haar door het
achterraam naar buiten en naar de oppervlakte.

Als de ambulance er eindelijk is en de ziekenbroeders aan
de slag gaan met de vrouw, blijft Ewoud beduusd zitten. Zou
ze het overleven? Ze moet minutenlang onder water zijn geweest. Een andere passant had intussen het alarmnummer
gebeld en zijn amateuristische reanimatiepogingen op pro-
fessionele wijze overgenomen. Ewoud en de andere vrouw
hadden gespannen toegekeken totdat het verlossende geluid
van de ambulancesirene klonk.

'Zal ik u even naar huis brengen, meneer?' zegt een vrien-
delijke blonde politieagente van een jaar of dertig. Ewoud
schrikt op. Hij rilt. Ondanks de dikke deken die hij heeft gekregen van het ambulancepersoneel, heeft hij het ijskoud.

'Kan mijn fiets ook mee?'

'Als we de wielen eraf halen past hij wel in de kofferbak,'

zegt de agente glimlachend. 'Voor een held doen we graag ons best, meneer.'

Ewoud kijkt gegeneerd naar de grond. 'Hoe gaat het met haar?' vraagt hij dan.

'Ze zal het vermoedelijk wel redden.'

'Hoe heet ze?' vraagt hij.

'Anna de Wit, meneer.'

Plots kan Ewoud het knagende gevoel verklaren dat hij heeft sinds hij de vrouw uit het water heeft opgedoken. Hij kent haar! Anna de Wit, dat is die mooie architecte bij wie hij wel eens pakjes moet bezorgen. En de vrouw die bij haar in de auto zat, die kent hij ook. Ewoud pijnigt zijn hersenen.

'Is dit uw rugzak, meneer?' vraagt de agente vriendelijk terwijl ze zijn donkerblauwe koeriersbackpack omhooghoudt.

Hij knikt. 'Mag ik hem even?' Ewoud rommelt in zijn rugzak en vindt het pakketje dat hij moest bezorgen. 'Ik moest dit vandaag om stipt vijf uur afleveren. Het was heel belangrijk. Iets met een huwelijksaanzoek...' Verslagen kijkt hij de agente aan. 'Dat is er helemaal bij ingeschoten.'

'Laat me eens kijken.' De agente bestudeert het adres op het pakketje. 'Vreemd, ik ken deze straat want hij ligt in de buurt waar ik ben opgegroeid. Maar volgens mij gaan de huisnummers daar niet verder dan honderd. En dit is voor nummer honderdtien. Wacht maar even, dan vraag ik het voor u na.' De agente loopt naar de auto en komt een paar minuten later terug. 'Precies wat ik dacht. Dat huisnummer bestaat niet in die straat.'

Ewoud krabt achter zijn oor. 'Dan zal er een foutje gemaakt zijn. Ik zal mijn baas even bellen. Heb je misschien een
sigaret voor me?'

Een uur later zit Ewoud onthutst op de bank. Hij heeft zich
gedoucht en droge kleren aangetrokken en staart naar het
pakketje dat hij op het krakkemikkige salontafeltje voor hem
heeft neergezet. Zijn baas had aan de telefoon bevestigd dat
het adres volgens de opgave van de afzender is. Buitengewoon eigenaardig. Langzaam buigt Ewoud zich voorover en
tilt het pakketje op. Aarzelend maakt hij het papier los. Er zit
een doosje in. Hij opent het dekseltje en ziet een grauw klad-
blokblaadje. Precies zo een als hij eerder bij zijn voordeur
heeft gevonden. Met trillende handen vouwt hij het open en
leest de korte tekst. Het is slechts een datum: 10 december.
Voor hij het weet loopt er een straal urine via zijn linkerdij op
de bank, om daar door de dikke stof opgezogen te worden.

35

Lisa

Gespannen ijsbeert Lisa heen en weer tussen het spreekge-stoelte en het raam van de grote zaal op de luchthaven. Ze kijkt uit over de uitgestrekte landingsbanen, waar de vlieg-tuigen af en aan vliegen. Bij het zien van het vertrouwde rood-wit van de NLM-toestellen, voelt ze trots dat ze het voor elkaar krijgt om al de kisten in de lucht te houden zon-der een fusie aan te hoeven gaan met een grote buitenlandse vliegtuigmaatschappij, zoals een van de concurrenten on-langs heeft gedaan. Het bedrijf bestaat nog steeds en als het aan Lisa ligt zal dat nog heel lang zo blijven.

De aandeelhouders krijgen momenteel een rondleiding van de vicedirecteuren en zullen zich daarna in de grote zaal ver-zamelen voor de vergadering die nu alsnog doorgang zal vin-den. Wim is gisteravond laat teruggekeerd uit de Verenigde Staten en zit nu in het bedrijfsrestaurant bij te praten met Frank, die ook weer terug is uit Abu Dhabi. In de spiegel

werkt ze haar make-up bij. Het blauwe oog dat ze heeft op-
gelopen toen de auto het water raakte, is amper zichtbaar
onder de perfect dekkende foundation. Ze ziet er helemaal
niet zo slecht uit vandaag.

Het nieuws haalde de voorpagina's van alle kranten. Tot
haar verbazing werd in de berichtgeving niet alleen ingegaan
op de moordaanslag op haar, maar ook op de geheimzinnige
redder. Mensen houden van helden, beseft Lisa. Maar de
held had geen behoefte gehad aan aandacht en wilde anoniem blijven.

Gelukkig was Anna inmiddels ontslagen uit het ziekenhuis.
Op een paar gebroken botjes in haar voet en een vervelend
hoestje na, lijkt ze niets aan het ongeluk overgehouden te
hebben. Huiverend denkt Lisa terug aan haar doodsangst
toen de auto begon vol te stromen en aan hoe verbazingwekkend kalm Anna reageerde. Anna's zelfbeheersing had
haar het leven gered. Lisa had haar instructies opgevolgd en
pas toen ze boven water was en besefte dat Anna haar niet
was gevolgd, sloeg de paniek weer toe. Op dat moment
kwam hij in beeld. Ze denkt terug aan de onbekende man die
met krachtige slagen aan kwam zwemmen en die tot het
uiterste was gegaan om Anna te redden uit het ijskoude, donkere water. Keer op keer dook hij, totdat hij uiteindelijk met
de bewusteloze Anna naar boven was gekomen. Als hij op
dat moment niet op die plaats was geweest dan zou ze het
niet gered hebben. Dan was zij, Lisa van Ostade, verantwoordelijk geweest voor de dood van Anna. Ze betwijfelt of
ze met die schuld had kunnen leven.

Lisa merkt dat haar ogen vochtig worden, maar ze knippert de tranen weg. Ze kan het zich niet veroorloven om emotioneel te worden. De aasgieren wachten op haar. 'Focus Lisa,' fluistert ze. In gedachten repeteert ze het verhaal nog een keer, woord voor woord.

Dames van de catering komen binnenrijden met een rinkelend karretje en plaatsen de koffiekopjes op de tafels onder het uitwisselen van de laatste roddels. Het gebabbel irriteert Lisa, ze besluit naar het restaurant te lopen om nog even met Wim te praten. Toen haar echtgenoot hoorde van de moordaanslag, had hij besloten zijn gastdocentschap in Amerika af te kappen. Hij was onmiddellijk terug naar Nederland gevlogen en had haar op het vliegveld minutenlang stevig omhelsd en om vergiffenis gesmeekt omdat hij haar na de eerdere incidenten niet serieus had genomen. Ook de politie maakte nu eindelijk werk van de zaak. Met man en macht zochten ze naar het witte bestelbusje, mede op basis van de aanwijzingen van de anonieme fietser. Ze zou de held dolgraag opnieuw willen ontmoeten om hem te bedanken, maar hij had volgens de politie duidelijk aangegeven daar geen prijs op te stellen.

Als Lisa haar echtgenoot samen met Frank ziet zitten in de designstoelen van het bedrijfsrestaurant, stokt haar adem even. Wat een contrast. Haar verstrooide, kale Wim met zijn manke been naast de charismatische en wereldse architect.

'Ben je er klaar voor?' vraagt Frank bezorgd als ze bij hen gaat zitten.

'Kijk niet alsof je denkt dat ik ieder moment een nieuwe zenuwinzinking zal krijgen, Frank. Ik red het wel.'

'Wil je dat ik bij je op het podium kom staan?' vraagt Wim.

'Lieverd, denk eens na! Zie je het voor je? Een zwak vrouwtje dat ondersteund moet worden door haar echtgenoot is niet bepaald geruststellend voor de aandeelhouders,' antwoordt Lisa glimlachend. 'Het is van belang dat ik vandaag laat zien dat ik helemaal terug ben en dat ik stevig in mijn schoenen sta. Zoals altijd.'

'Je ziet er in ieder geval ontzettend goed uit in dat nieuwe mantelpakje,' vleit Frank.

'Dank je,' antwoordt ze, terwijl ze niet naar Frank maar naar Wim kijkt. Hij beantwoordt haar blik met een warme glimlach. Haar gedachten gaan terug naar afgelopen nacht. Ze hadden voor het eerst sinds lange tijd weer gevreeën. Het was heerlijk om na al die weken van ijzige kou eindelijk weer een warm lijf tegen het hare te voelen. Wat zou ze graag willen dat ze weer echt op zou kunnen gaan in haar relatie met Wim. Net zoals in de eerste, gelukkige jaren van hun huwelijk, toen ze nog niet opgeslokt werden door hun carrières. Misschien vormen de vreselijke gebeurtenissen van de afgelopen tijd wel het keerpunt en brengen ze hen weer dichter bij elkaar. Ze beseffen nu in elk geval beiden dat hun zekerheden slechts schijn zijn en dat alles elk moment zomaar in elkaar kan storten.

'De aandeelhouders komen zo terug van de rondleiding. Gaan jullie mee naar binnen?' zegt Lisa.

Rustig lopen ze over de gang terug naar de grote zaal. Die

is nog leeg, op een klusjesman na. Als Lisa naar het spreekgestoelte kijkt, voelt ze een kriebel in haar buik. Ze gaan op
de eerste rij zitten en praten zacht, terwijl de man de ver-
lichting op het podium afstelt.

'Mevrouw Van Ostade?' onderbreekt de klusjesman hun
gesprek. Lisa knikt.

'Zou u misschien even hier willen komen zodat ik kan controleren of de belichting goed is?' vraagt hij met licht buitenlands accent. Het klinkt Lisa een beetje als dat van Jasja in
de oren.

'Moet dat nu?' vraagt Lisa. Ze wil haar verhaal graag nog
een keer doornemen.

'Als u er op het podium graag op uw best uit wilt zien wel,'
antwoordt de man in zijn grappige accent. Hij glimlacht er
ontwapenend bij.

Lisa staat zuchtend op en gaat achter het spreekgestoelte
staan. Daar begint ze haar verhaal weer voor zichzelf te
repeteren, terwijl de man aan de spotjes draait en Wim en
Frank van een afstandje toekijken.

'Wordt het spannend vandaag?' hoort ze de stem van klusjesman weer.

Fronsend kijkt Lisa hem aan. Waarom doet die man niet
gewoon zijn werk?

'Nou?' dringt hij aan.

'Eerlijk gezegd wel,' antwoordt Lisa, terwijl ze de nieuws-
gierige klusjesman wat beter bekijkt. Hij heeft een sympathiek gezicht met brede jukbeenderen en fonkelende blauwe
ogen. Zijn haar zit onder een pet verstopt.

'Dan zijn ze in ieder geval niet voor niets gekomen,' antwoordt de man terwijl hij een verblindend spotje recht op Lisa's gezicht richt. Ze knijpt haar ogen dicht.

36

Anna

Kreunend verlegt Anna haar ingegipste voet. Het nare hoest-je dat opkwam na de duik met de auto in het water, heeft zich in rap tempo ontwikkeld tot een fikse longontsteking. Bij iedere beweging voelt ze hevige steken in haar bovenrug. De huisarts heeft een antibioticakuur voorgeschreven, maar daar merkt ze nog niets van. Anna trekt de dekens wat ver-der over zich heen. Het is koud in haar slaapkamer en de op-lopende koorts versterkt het gevoel van kou alleen maar. Be-neden hoort ze de deurbel drie keer. Haar code. Moeizaam richt ze zich op om het spiegeltje van het nachtkastje te pak-ken en zich wat op te knappen, maar de aanblik van haar grauwe gezicht met donkere wallen ontmoedigt haar zo dat ze de spiegel meteen weer weglegt. Op de gang hoort ze de stem van de barones. Haar huisbazin heeft zich ontpopt tot bemoeizuchtige ziekenverzorgster die liters bouillon voor haar kookt en te pas en onpas komt kijken hoe het met haar gaat. Aardig bedoeld, dat zeker, maar Anna krijgt het er Spaans benauwd van. Een pijnlijke hoestbui komt op, de tranen schieten in Anna's ogen. Zo ziek is ze nog nooit geweest. Haar linkervoet bleek gebroken te zijn, waarschijnlijk duurt het nog weken voordat ze weer normaal kan lopen. Ze haat het om afhankelijk te zijn.

Een bescheiden klopje klinkt op de deur.

'Kom binnen,' antwoordt Anna met schrille stem.

De deur gaat open en het verschrikte, bleke gezicht van haar zus Maria verschijnt om de hoek.

'Zusje, wat fijn dat je er bent!' piept Anna verheugd. Meteen slaan haar gedachten op hol. Misschien komt Maria haar halen en mag ze een tijdje bij haar en Laurens logeren, zodat ze van haar bemoeizuchtige huisbaas verlost is. Ze probeert zich op te richten om haar zuster te omhelzen, maar de steken in haar rug beletten dat. Met een pijnlijk gezicht laat ze zich terugvallen en krijgt een langdurige hoestbui. Maria schiet op haar af, schikt de kussens en helpt Anna, zodat ze ietsje rechter kan zitten. De pijn zakt langzaam weg.

'Dankjewel, zusje! Je bent mijn redder. Kom je bij me zitten?'

Maria neemt zwijgend plaats op de rand van het bed.

'Wat een toestand,' zegt Anna terwijl ze oogcontact zoekt. Maria ontwijkt haar blik en staart naar het handgemaakte lichtgrijze vloerkleed dat Anna een paar weken geleden voor veel geld heeft gekocht bij een designwinkel in het centrum van de stad. Een staaltje topvakmanschap, tot in de kleinste details perfect. Onweerstaanbaar dus.

'Prachtig vloerkleed, hè?'

Maria geeft geen kik. Anna begint zich een beetje ongemakkelijk te voelen, maar dan beseft ze dat haar zus enorm moet zijn geschrokken toen ze hoorde van de moordaanslag. Ze heeft vast gehuild en probeert nu haar rode ogen te verbergen. Een diep gevoel van liefde stroomt door haar heen. Die lieve, zorgzame Maria. Wat zou ze zonder haar moeten?

'Zusje, kijk me eens aan.' Als Maria haar gezicht eindelijk naar haar toe draait, schrikt Anna van de kille blik in haar anders zo warme, donkerblauwe ogen. Anna krimpt ineen.

'Hoe heeft het zover kunnen komen?' vraagt Maria met een stem die hard en afstandelijk klinkt.

Anna kijkt haar bevreemd aan. 'Dat weet je toch? Het was een moordaanslag op Lisa van Ostade. Ik zat bij haar in de auto en...' Verward kijkt ze haar zus aan. 'Dat heb ik je aan de telefoon toch al verteld?'

'Inderdaad. Maar toen ben ik eens goed gaan nadenken. En nu vraag ik me eigenlijk iets af.'

Anna haalt haar schouders op. 'Wat dan?'

'Weet je wel zeker dat de aanslag voor mevrouw Van Ostade bedoeld was? Ik bedoel, jij hebt de laatste tijd toch ook het een en ander meegemaakt?'

Verrast kijkt Anna haar zus aan. 'Dat was van een andere orde. Dit was een moordaanslag. Lisa is een bekende en ook wel een beetje beruchte zakenvrouw. Ze ligt de laatste tijd flink onder vuur. Natuurlijk was het de dader om haar te doen.' Ze fronst haar voorhoofd en denkt na. 'Ik zie niet in waarom iemand mij zou willen vermoorden.'

Onbewogen heeft Maria haar blik op haar gericht.

'Wat kijk je nou?'

'De manier waarop jij met mensen omgaat is niet zo fraai.'

'Wat bedoel je?'

'Laat ik het zo zeggen: de manier waarop jij met mannen omgaat...'

'Pardon?'

'Je behandelt ze als gebruiksvoorwerpen, Anna. Niet iedereen kan dat waarderen.'

Anna voelt haar wangen warm worden.

'En dan heb ik het niet alleen over de mannen zelf, maar ook over hun vrouwen.' Maria's ogen krijgen iets kwaadaardigs. Ze schuift een beetje dichter naar Anna toe en buigt zich voorover, zodat haar gezicht vlak bij dat van Anna is. 'Want jij, Anna de Wit, bent zo'n bitch die alleen voor de gebonden exemplaren gaat.' Maria knijpt haar ogen samen. 'En dat maakt de zaak natuurlijk nog veel erger, omdat je daarmee twee personen treft in plaats van één.'

Geschrokken kijkt Anna naar haar anders zo zachtaardige zus, die met de seconde bozer lijkt te worden.

'Er zijn genoeg vrouwen die vinden dat je zoiets absoluut niet kunt maken. Ik durf zelfs te beweren dat er vrouwen zijn die drastische maatregelen zouden nemen tegen zo'n valse huwelijksbreker als jij. Dus jij kunt wel beweren dat die aanslag voor Lisa van Ostade was bedoeld, maar gezien jouw levenswandel zou ik daar toch niet zo heel erg zeker van zijn. Denk daar maar eens goed over na.'

Verbouwereerd kijkt Anna naar haar zus, die verwoed in haar handtas grabbelt.

'Eigenlijk kwam ik om je dit te laten zien.' Op de foto in Maria's hand ziet Anna zichzelf met Laurens die avond op de oprijlaan voor de villa. Zijn gretige hand is duidelijk zichtbaar op haar billen onder haar opgestroopte jurk.

'Sorry!' piept ze.

'Dat is te laat, zus. Ik heb het helemaal gehad met jou. Jij denkt dat de wereld om jou draait en dat alles je toebehoort. Nou, zus, laat één ding je duidelijk zijn: van mijn man moet je afblijven.' Woest staat ze op en beent naar de deur. Daar draait ze zich om. 'Voor het geval je het nog niet begrepen hebt... ik wil niets meer met je te maken hebben. Nooit meer.'

Anna hoort de harde klap van de dichtslaande deur en even later het geluid van een startende auto. Een onbedaarlijke hoestbui komt op en de dolksteken die dat veroorzaakt in haar longen voelen bijna prettig aan vergeleken met de intense pijn die ze voelt door de woorden van Maria.

Een uurtje later is de koorts weer opgelaaid. Na lang woelen valt Anna in een onrustige halfslaap, waarin ze de mannen uit haar leven de revue ziet passeren. Heldere beelden van de mannen van wie ze de namen nog kent en vage herinneringen aan degenen met wie ze een nacht het bed deelde in hotelkamers in buitenlandse steden. Het waren stuk voor stuk mannen die bewust een risico namen door bij haar te zijn. Gebonden mannen, sommige met kinderen. Anna was er altijd trots op geweest een vrije, ongebonden vrouw te zijn. Dat gaf haar een machtig gevoel. Zij had alles onder controle. Niemand kon haar kwetsen. En nog belangrijker: niemand kon haar verlaten.

Maar nu is het voorbij. Anna's zorgvuldig opgebouwde façade is weggevallen en onthult de rauwe waarheid. Ze beseft dat ze altijd haar ogen heeft gesloten voor het verdriet dat achter die nachten van ondoordacht genot ligt. Tot het moment, een paar uur geleden, waarop haar eigen zus haar met de neus op de feiten heeft gedrukt. Je weet niet hoe diep je iemand kunt kwetsen als je niet weet wat het is om zielsveel van iemand te houden, beseft Anna voor het eerst in haar leven.

Door de spleet van de gordijnen ziet ze de heldere sterrenhemel. Buiten moet het steenkoud zijn. Ze huilt zacht. Iedereen is weg: haar vader, moeder, zus, Laurens. Iedereen heeft ze bij zich weggejaagd. Vanaf nu is ze echt alleen op de wereld.

Ze neemt een paar pijnstillers en wat slaappillen en slikt ze door met water. Na een minuut of tien volgt de verlossende slaap.

Even later wordt ze plotseling wakker als ze een doek met een chemisch ruikende vloeistof tegen haar mond en neus geduwd krijgt. Onmiddellijk verliest ze het bewustzijn weer.

37

Ewoud

Ewoud parkeert de auto schuin tegenover het schoolplein, waardoor hij een goed zicht heeft op de spelende kinderen. Het is al tien uur en het zal vast niet lang meer duren totdat Anouk buiten mag spelen. De motor laten draaien zou te veel de aandacht trekken in het smalle eenrichtingsstraatje waaraan het schoolplein grenst. Hij zet de motor uit en voelt al na een paar minuten de temperatuur in de auto dalen. Ewoud ritst zijn dikke, gewatteerde jas dicht, zet zijn capuchon op en slaat zijn armen bibberend om zich heen. Wanneer de schooldeur eindelijk openzwaait en een groepje bontgeklede kinderen zich als een zwerm bijen over het schoolplein verspreidt, veert Ewoud op. Gespannen zoekt hij tussen de schreeuwende en dollende kinderen naar het blonde krullenkopje van zijn dochter. Hij ziet haar niet. Een gevoel van paniek overvalt hem. Waarom is ze er niet? Zou ze ziek zijn? Of naar een andere school…? Pas dan dringt tot hem door dat de kinderen naar wie hij kijkt nog veel te klein zijn. Het zijn de kleuterklassen die speelkwartier hebben. Hij moet nog even geduld hebben.

Een vrouw die met haar hond aan het wandelen is, passeert de auto. Ewoud doet net alsof hij verdiept is in de krant. Wanneer de vrouw verdwenen is, legt hij de krant weer weg en kijkt naar de schattige hummeltjes op het plein. Anouk was vroeger ook zo'n aandoenlijk kleutertje. Wanneer hij thuiskwam van zijn werk, kwam ze altijd enthousiast aan- waggelen op haar koddige, mollige beentjes, omhelsde hem en vertelde hem onder het uitdelen van kusjes meerdere ma- len hoe lief ze hem vond.

Twee juffen surveilleren op het schoolplein. Hij kent ze nog wel. Een van de twee flirtte vroeger vaak met hem als hij Anouk eens kwam ophalen. Leuke meid. Tijdens een ouder- feest op school had hij haar kunnen versieren als hij gewild had, ze was bereidwillig genoeg na een paar glazen wijn, maar dat vond hij destijds toch wat te riskant met Fleur in de buurt.

Een zoemer gaat en een voor een gaan de kinderen naar binnen. Ook de juffen verdwijnen weer van het plein. Een nieuwe groep zwermt naar buiten. Achter hen aan komen een juf en de directeur van de school, met wie Ewoud in het verleden meerdere malen aanvaringen heeft gehad. De twee lijken in een heftige discussie verwikkeld en hebben meer aandacht voor elkaar dan voor de kinderen.

Een oudere dame passeert de auto en kijkt nieuwsgierig naar binnen. Ewoud glimlacht vriendelijk naar haar. 'Be- moeizuchtige lui,' foetert Ewoud voordat hij zijn capuchon wat verder over zijn blonde krullenbos trekt en intussen ge-

concentreerd naar zijn dochter speurt. Teleurgesteld constateert hij dat ze er weer niet bij zit.

Maar dan ziet hij bij de schooldeur toch nog het vertrouwde, blonde krullenkopje verschijnen. Helemaal in haar
eentje komt ze naar buiten drentelen. Een gevoel van intense
liefde overspoelt hem. Daar is zijn kleine meid. Wat is ze
mooi! Hij veegt het beslagen raampje van de auto met de
mouw van zijn jas schoon en drukt zijn gezicht tegen het
glas. Kon hij maar naar haar toe gaan.

Anouk staat nog steeds bij de ingang van de school en kijkt
onzeker naar de kinderen die op het plein spelen. De jonge-
tjes rennen als wildemannen rond, de meisjes klitten in
groepjes bij elkaar. 'Ga er gewoon bij staan, meisje,' moedigt
Ewoud haar zacht aan. Hij herinnert zich zijn jonge jaren,
waarin hij te verlegen was om contact te maken met de andere kinderen. Zijn moeder drong er altijd op aan dat hij met
zijn klasgenootjes moest afspreken, maar hij wist niet hoe hij
dat moest aanpakken. Met de puberteit kwam het keerpunt.
Blijkbaar ontpopte hij zich tot een niet onaantrekkelijke jongeman en tot zijn verrassing kreeg hij steeds meer aandacht
van meisjes. Beetje bij beetje viel de verlegenheid van hem af.

Zo onzeker heeft hij Anouk nog nooit gezien. Ze was altijd een ongedwongen, spontaan kind. Hij kijkt toe hoe ze in
haar eentje op een bankje aan de rand van het plein gaat zitten. Ze pulkt aan een mandarijntje. Niemand kijkt naar haar.
Alsof ze onzichtbaar is. Waarom is ze alleen? Waar zijn de
vriendinnetjes gebleven met wie ze altijd speelde? Waarom
negeert iedereen zijn blonde oogappeltje? Zijn hart breekt.

Kon hij maar bij haar zijn. Zijn armen om haar heen slaan. Haar zeggen dat hij zielsveel van haar houdt, dat zij het allerbelangrijkste voor hem is en dat ze de gemene leugens die de mensen over hem vertellen niet moet geloven. Dat ze haar hoofd altijd hoog moet blijven houden en ze het mooiste, liefste en puurste wezen van de wereld is. Zijn hand beweegt naar de deurgreep en pakt hem stevig vast. Wat als?

Mismoedig schudt hij zijn hoofd. Als hij haar meeneemt, heeft hij in no time Interpol achter zich aan. Een diepe wanhoop overvalt hem. Hij kijkt weer naar zijn dochter en voelt een sterke band. Twee verstotenen in een keiharde wereld. De vijftig meter tussen hen is op dit moment niet te overbruggen. Hij zou alleen maar meer ellende veroorzaken in haar leventje.

Gefrustreerd slaat hij met beide handen op het stuur. Waarom kunnen ze verdomme niet bij elkaar zijn? Waarom mag hij niet gewoon Anouks vader zijn? Waarom?

'Omdat je het niet verdient,' antwoordt een klein stemmetje in zijn hoofd. Ewoud duwt hard tegen zijn slapen om de stem te bezweren. 'Laat me met rust,' fluistert hij terwijl hij de zoemer over het schoolplein hoort klinken.

De kinderen slenteren weer naar binnen. Ook Anouk staat op en loopt onzeker achter de anderen aan. Het idee dat dit misschien wel het laatste is wat hij van haar zal zien, grijpt hem bij de keel. Weer beweegt hij zijn hand naar het portier van de auto. 'Anouk,' fluistert hij wanhopig. 'Anouk,' iets harder nu. Precies op dat moment staat ze stil en draait zich om. Ze kijkt in zijn richting. Met bonzend hart steekt hij zijn hand naar haar op. Als ze me ziet, neem ik haar mee, besluit hij. Anouk blijft een paar seconden stilstaan, draait zich dan om en loopt schoorvoetend de school weer binnen.

Een paar minuten later start Ewoud de auto en rijdt linea recta naar huis. Hij is te gedeprimeerd voor een afscheidsbezoekje aan André, zijn oude kapper en de enige vriend die hij nog heeft. Thuis grist hij wat onderbroeken en sokken uit de la en gooit die boven op de kleding die hij al eerder in de koffer gelegd heeft. Hij sleurt hem naar de auto en legt het zware ding achter in de kofferbak. De auto, een aftandse, fletsrode Toyota, heeft hij gisteren voor vijfhonderd euro gekocht. Er zit nog voor een halfjaar apk op en Ewoud hoopt maar dat de barrel in staat is hem naar Zwitserland te brengen.

Een donderend geraas kondigt de komst van een vliegtuig aan. Het is een rood-wit vrachtvliegtuig van NLM. Hij glimlacht bitter. 'Van die herrie ben ik straks ook mooi verlost,' bromt hij.

Voor de laatste keer loopt hij zijn woning in. Hij pakt zijn paspoort en bankpapieren uit het keukenkastje en doet alles in een plastic tas. Op het keukentafeltje ligt de factuur van zijn advocaat. Ewoud gromt en scheurt de envelop doormidden. De man heeft hem alleen maar narigheid bezorgd en nu de omgangsregeling voor Anouk sinds zijn zogenaamde poging tot ontvoering helemaal is stopgezet, durft het ellendige stuk vreten hem nog een rekening te sturen ook. Geen haar op zijn hoofd die eraan denkt om die man te belonen voor zijn wanprestaties.

Ewoud voelt de machteloze woede weer opkomen. Hij

steunt op het aanrecht en ademt een paar keer heel diep in en uit. Rustig maar. Het komt goed, spreekt hij zichzelf toe. Langzaam keert de rust in zijn lijf weer terug. Ewoud weet dat zijn keuze de juiste is. Straks, over een jaar of twee, drie, als alle stof neergedwarreld is, gaat hij proberen om weer in Anouks leven toegelaten te worden. Dat plan kan alleen maar slagen als hij bij de rechter kan aantonen dat hij een stabiel leven heeft opgebouwd. Dat is zijn missie. En de enige reden om het vervloekte bloedgeld op de Zwitserse bankrekening aan te spreken. Met het geld kan hij een eigen bedrijfje beginnen: een restaurant, fietsenwinkel of iets in de import en export. Als zijn zaak eenmaal loopt, zal hij investeren in een mooi huis en een relatie met een aardige vrouw. Daarna zal hij een topadvocaat inhuren. Hij glimlacht, want hij weet zeker dat het dan voor Fleur en voor de rechter heel erg moeilijk wordt om de omgangsregeling te blijven weigeren.

Hij pakt het plastic tasje met papierwerk en loopt zonder nog op of om te kijken naar buiten. Wanneer hij de voordeur achter zich sluit, kijkt hij even de straat in. Niemand te zien, gelukkig. Sinds zijn reddingsactie wordt hij gezocht door een stel malle journalisten die hem tot held willen bombarderen. Wat een waanzin. Ze zouden eens moeten weten wat voor man hij is.

Ewoud kan op dit moment niet anders doen dan vertrekken. Van der Kamp kan tevreden zijn, bedenkt hij bitter. Twee jaar na dato heeft hij toch nog zijn zin gekregen.

38

Lisa

Lisa stapt in het heerlijk warme bad. Het geparfumeerde water verwarmt haar koude lijf. Ze sluit haar ogen en voelt haar lichaam langzaam ontspannen. Dat er een moordaanslag voor nodig was om echt serieus genomen te worden door de politie, is vervelend, maar sindsdien voelt ze zich wel weer wat beter. Veiliger ook. Zeker nu Wim terug is en de politie regelmatig voor haar huis surveilleert. Nauwgezet controleert ze de vele blauwe plekken en schaafwonden op haar lichaam. In vergelijking met Anna is ze er goed van afgekomen. Ze neemt zich voor om snel bij haar vriendin op ziekenbezoek te gaan.

Als ze een halfuur later uit bad stapt en zich in een grote witte badjas hult, gaat ze op haar tenen staan om door het badkamerraam naar buiten te kunnen kijken. Het is pas vier uur 's middags maar het begint al te schemeren. Het is een aantal dagen niet boven de nul graden geweest, waarschijnlijk wordt het een lange, koude winter. Lisa loopt naar de slaapkamer en gooit het pak dat ze die ochtend bij de opening van een expositie droeg, in de stomerijmand. Het ruikt naar de Gauloises van de semiartistieke kunstenares die een kakelbont allegaartje van verschillende stijlen had geëxposeerd. Het kostte Lisa enorm veel moeite om serieus te reageren toen de kunstenares, de vrouw van een van haar vicedirecteuren, zich bij hun groepje aansloot. 'Dat niemand zo'n vrouw de waarheid vertelt,' fluisterde ze Wim toe en op de terugweg hadden ze er in de pas gerepareerde Audi hartelijk om gelachen. Ze geniet van het gevoel van saamhorigheid dat weer aan het groeien is tussen haar en haar echtgenoot.

Lisa zoekt in de kast naar een warme wollen trui en een gemakkelijke broek. Ze zou wel wat meer mogen investeren in vrijetijdskleding, überhaupt in vrije tijd. Zo'n vrije zondagmiddag waarop ze met z'n allen thuis zijn, is onbetaalbaar.

Wanneer ze de riante huiskamer inloopt, brandt de houtkachel al. Wim speelt aan de grote tafel een bordspel met Franka. Lisa kijkt even glimlachend toe en geeft Wim een kneepje in zijn arm. Vanavond zal ze zelf koken. Als het goed is heeft mevrouw Kierkenboom gisteren zalm en risotto gekocht en hoeft ze alleen nog maar de aanwijzingen in het kookboek te volgen. In de keuken schenkt ze een glas witte wijn in voor zichzelf en voor Wim een glas van zijn favoriete single malt whisky. Voor de kinderen vult ze drie glazen met frisdrank en drie bakjes met chips. Met een vol dienblad loopt ze weer naar de huiskamer.

'Waar zijn Henry en Harald?'

'Harald is op zijn kamer en Henry is net de deur uitgegaan. Hij zou even naar een vriendje gaan. Sam, geloof ik.'

'Op zondagmiddag? Met deze kou?' reageert Lisa ongerust. Het is niet alleen de koude die haar verontrust, maar dat zegt ze niet.

'Ach, dat ventje kan wel wat hebben. Hij zou om vijf uur terug zijn.'

Lisa opent haar mond om wat te zeggen, maar besluit dat niet te doen. Teleurgesteld zet ze het dienblad neer en loopt met het glas fris en bakje chips van Harald naar boven. Nu het toch geen familiesamenzijn wordt, zal ze haar oudste zoon ook maar niet lastigvallen met opgelegde gezelligheid.

Harald zit met gebogen rug achter zijn computer in zijn donkere kamer. Het felle licht van het beeldscherm geeft zijn silhouet een onwerkelijke aanblik. Lisa knipt het grote licht aan, zet de spullen op zijn bureau en pakt hem voorzichtig bij zijn schouders. Hij krimpt ineen. Berustend laat ze hem los.

'Liefje, ik heb wat lekkers voor je neergezet.' Harald reageert niet. Zwijgend sluit Lisa de deur. Ze verlangt plotseling sterk naar het glas wijn dat op haar wacht. Terug in de huiskamer vlijt ze zich op de bank en trekt een witte wollen plaid over zich heen. Tevreden kijkt ze naar Wim en Franka, die fanatiek Mens-erger-je-niet spelen. Het is heerlijk dat ze er thuis niet meer alleen voor staat. Als ze een flinke slok wijn neemt, valt haar oog op de aktetas in de hoek. Zal ze nog even…?

Wim vangt haar blik. 'Niet aan je werk denken, Lisa. Ontspan,' klinkt zijn stem.

Geamuseerd kijkt ze hem aan. 'Wat ken je me goed.'

De pianoklanken van Chopin klinken op de achtergrond, af en toe overstemd door het opgewekte stemmetje van Franka en het sonore stemgeluid van haar echtgenoot. Wat een weldaad. Haar ogen worden zwaar en sluiten zich. Ze denkt aan de stapels werk op haar bureau, de rechtszaak, haar televisieoptreden, de aanslag. Ze voelt zich weer gespannen worden. Niet doen, Lisa, corrigeert ze zichzelf. Ze probeert zich op de pianoklanken te concentreren, maar laat zich al snel weer meeslepen door haar gedachten. Wat moet ze denken van de onbekende redder, die absoluut niet in de publiciteit wil? Waarom eigenlijk niet? Dat is toch vreemd? Lisa opent haar ogen en gaat weer rechtop zitten. Sinds ze die man heeft gezien, knaagt er iets. Het is een gevoel van herkenning, maar ze kan het niet thuisbrengen.

De telefoon zoemt. Wim neemt op. 'Lisa, het is voor jou.' Met een afkeurende blik geeft Wim haar de telefoon. 'Laten ze je nooit met rust?' fluistert hij wrevelig.

'Lisa van Ostade.'

'Goedemiddag, mevrouw Van Ostade,' zegt een mannenstem met een buitenlands accent.

'Met wie spreek ik?'

'Noemt u mij maar Repelsteeltje.'

Lisa zucht geërgerd. 'Ik heb geen zin in en tijd voor grappen, meneer. Waarover belt u?'

'U bent een drukbezette vrouw, ik begrijp het. U hebt natuurlijk veel aan uw hoofd.'

'U belt me op mijn vrije zondag, als u nu niet onmiddellijk ter zake komt dan verbreek ik de verbinding.'

'Goed dan. Mag ik u tutoyeren?'

Lisa zwijgt. Wie is deze halvegare en hoe komt hij aan haar privételefoonnummer?

'Oké, dan niet, mevrouw Van Ostade. Het lijkt me het beste als u even naar een andere kamer loopt waar u ongestoord met me kunt praten.'

Lisa's hart begint sneller te kloppen. 'Zegt u het nu maar gewoon.'

'Laat ik dan beginnen met een waarschuwing, mevrouw Van Ostade. Als u ook maar een kik geeft waardoor uw echtgenoot gealarmeerd raakt, neem ik drastische maatregelen.'

Lisa's handen beginnen onbedaarlijk te trillen.

'Dus stel ik voor dat u de huiskamer verlaat en naar uw kantoor gaat. Dan kunnen we even rustig overleggen. Zeg maar tegen uw echtgenoot dat u wat zaken moet afhandelen.'

Angstig kijkt Lisa door het raam naar de donkere wereld buiten. Waarom heeft ze de gordijnen opengelaten?

'Wim, ik ga even naar het kantoor,' zegt ze op zo normaal mogelijke toon. Haar echtgenoot kijkt met gefronste wenkbrauwen op, maar gaat dan door met het spelletje dat hij met Franka speelt.

Met bonzend hart loopt Lisa de gang door en opent de deur van het kantoor aan de achterkant van het huis. Het is er steenkoud.

'Ik ben er,' zegt ze zacht, nadat ze de deur achter zich gesloten heeft.

'Goed zo,' antwoordt de man. 'Dan kan ik nu ter zake komen.'

'Ja.' Lisa houdt haar adem in.

'Luister goed, mevrouw de directeur. Ik heb Henry. Als je hem levend wilt terugzien, moet je nu naar buiten komen. Ik wacht op je bij het zandpad links naast je huis dat naar de bossen leidt. Als ik merk dat je iemand gewaarschuwd hebt of dat je niet alleen bent, vermoord ik hem. Je hebt drie minuten om bij me te komen. Als je er dan niet bent, steek ik hem neer.'

'Bewijs dat je hem hebt, vuile klootzak,' sist Lisa, terwijl ze met grote stappen naar het raam loopt en probeert iets in het duister te onderscheiden.

Even is het stil, dan hoort Lisa een bang stemmetje. 'Mama, kom je me halen?' Haar hart breekt.

'Niets doen. Ik kom eraan!'

'Schiet op. De tijd loopt.'

Lisa rent naar de hal, grist een jas van de kapstok en schiet in de bijkeuken haar hardloopschoenen aan. Vervolgens gaat ze via de voordeur naar buiten. Wanneer ze langs het huis rent, ziet ze dat Wim en Franka nog steeds verdiept zijn in hun spelletje. Haar hart bonkt als een razende. Als ze bij de weg is aangekomen, raakt ze in paniek. Welk pad bedoelt hij? Het huis is omringd door bossen en aan beide kanten zijn paden. Is het links als je voor het huis staat of links vanuit het huis gezien? Na kort aarzelen kiest ze voor de eerste optie en rent zo hard ze kan naar rechts. Het is donker op het landweggetje waar de gemeente het onderhoud van de spaarzame lantaarnpalen niet hoog op het prioriteitenlijstje heeft staan. Twee ervan zijn al maanden stuk. Als ze na zo'n tweehonderd meter rennen bij het bospad komt, vertraagt ze haar tempo en slaat op haar hoede het donkere pad in. 'Henry!' roept ze met schrille stem. Geen antwoord. 'Henry!' roept ze wat harder. Nog geen reactie. Alleen het geluid van haar eigen raspende ademhaling. 'Verdomme,' vloekt ze zacht. Zou ze toch het verkeerde pad gekozen hebben? Voorzichtig loopt ze nog een stukje verder het pad op. 'Henry!' Weer geen reactie. Ze moet het andere pad hebben, beseft ze. Razendsnel draait ze zich om en maakt aanstalten om naar het bospad aan de andere kant van het huis te sprinten, maar op dat moment wordt ze van achteren stevig vastgegrepen. Een hand over haar borst, de andere over haar mond. Lisa probeert te gillen en schopt en bijt, maar het haalt weinig uit. Dan worden haar armen in één ruk naar achteren getrokken en aan elkaar vastgebonden. Er volgt een harde schop tegen haar benen en voor ze het weet ligt ze machteloos op de grond. Een grote, donkere gestalte buigt zich over haar heen. Net voordat ze de naar ether ruikende prop tegen haar mond en neus geduwd krijgt, ziet ze naast haar op de grond Henry liggen, met van angst opengesperde ogen.

39

Anna

De nasmaak van het stinkende medicinale spul doet Anna opnieuw kokhalzen. Een daverende hoestbui met de inmiddels vertrouwde dolksteken in haar rug volgt. Als ze weer wat bedaard is, knippert ze met haar ogen om haar vizier wat scherper te stellen. Het blijft mistig. 'Shit!' roept ze hartgrondig, terwijl ze wanhopig denkt aan haar gloednieuwe bril die thuis naast haar op het nachtkastje lag. Kreunend staat ze op van het klamme, stinkende matras en probeert zich te oriënteren. In het halfduister onderscheidt ze een kleine, kale ruimte van een paar vierkante meter met daarin een houten tafeltje en twee stoelen. Het ruikt er muf. Er zijn geen ramen. Slechts het schijnsel van een kaal peertje verlicht het vertrek, maar zelfs met haar bijziende ogen kan ze de grote schimmelplekken op plafond en muren onderscheiden. Een stenen trap leidt naar een deur. Anna hinkt er op haar goede been naartoe. Op handen en knieën kruipt ze omhoog en grijpt hoopvol naar de klink. Op slot. Er komt weer een hoestbui op en Anna zet zich schrap. Wanneer ze weer wat bijgekomen is van het geweld in haar longen, trekt en duwt ze nog een paar keer aan de zware houten deur. Er gebeurt niets. Ze klautert weer omlaag en hijst zich op de dichtstbijzijnde keukenstoel. Nu is het echt grondig mis, beseft ze. Ze is opgesloten in een kelder. Het laatste wat ze zich herinnert, is dat ze met hoge koorts in bed lag. Ze voelt aan haar klamme voorhoofd, de koorts lijkt wat gezakt. Het is ijzig koud in de kelder.

Beelden van martelpartijen en gruwelijke verkrachtingen flitsen door haar hoofd. Paniekerig onderzoekt ze haar cel. Gelukkig geen ijzeren kettingen, nare haken of andere attributen uit de horrorfilms die ze in haar tienerjaren verslond. Ze spitst haar oren. Na een paar seconden onderscheidt ze een aanrollend, zwaar geluid. De intensiteit neemt snel toe, bereikt een hoogtepunt en neemt dan net zo snel weer af. Daarna is het doodstil. Anna denkt na. Als dat het geluid van een voorbijrijdende vrachtwagen was, zou het betekenen dat ze in de buurt van een weg opgesloten zit. Dat geeft hoop. Ze klautert de trap weer op en bonst op de deur. 'Is daar iemand?' Haar stem klinkt haar vreemd in de oren. Net alsof het iemand anders is die roept. Ze deinst terug. Wat als er echt iemand reageert? Wat als de deur opengaat? Wie staat er dan tegenover haar? Anna huivert. Tranen prikken in haar ogen. Hoe is ze in godsnaam in deze situatie terechtgekomen? Wie haat haar zo dat hij haar in een kelder opsluit? Ze klimt weer naar beneden, gaat aan het tafeltje zitten en probeert logisch te redeneren. Het begon met vogel Sjaak, toen kwam de dode hond op de chaletdeur, het postpakket met de hamsterbal, daarna de onthullende foto van haar en Laurens en toen de moordaanslag op Lisa. Bij nader inzien kan die aanslag net zo goed voor haar bedoeld zijn geweest, zoals haar zus al suggereerde. Ze zaten tenslotte in haar auto. Dat besef doet Anna paniekerig naar adem happen. Meteen voelt ze weer de intense pijn in haar longen.

Ze krijgt straf. Dat is het! Maar wat is het verband tussen de bedreigingen? De dode dieren leken vooral bedoeld om haar te laten schrikken, maar de hamsterbal was een duidelijke verwijzing naar haar betrokkenheid bij de dood van haar vader. Haar vader kwam om het leven omdat zij alleen aan zichzelf dacht. Gaat het daarom? Maar ze was toen toch nog maar een klein meisje? Moet je iemand daar jaren later nog voor straffen? Dat straffen doe ik zelf al genoeg, denkt ze bitter. Sinds het gebeurd is, heeft ze alleen maar geprobeerd om er zo goed mogelijk mee om te gaan. Hard te werken, niet te veel na te denken, alles met het doel haar vaders droom waar te maken en haar moeder wellicht wat milder te stemmen. Soms fantaseert ze dat haar moeder trots in het verzorgingshuis rondparadeert met een tijdschrift of krant waar een artikel in staat over haar werk, maar ze weet wel beter. Haar moeder kan Anna haar schuld bij haar vaders dood niet vergeven, hoe hard ze ook het tegendeel beweert. Bovendien botsen hun karakters. Haar moeder vindt haar te hard, te mannelijk, te ambitieus. De zachte, vrouwelijke Maria is haar lieveling. Altijd al geweest.

Anna krimpt ineen als ze aan haar lieve zus denkt. Hoe kon ze in godsnaam haar eigen lustgevoelens boven het gelukkige huwelijk van haar zus stellen? En waarom was ze van haar vaste regel afgeweken om alleen maar vrijblijvende seks met onbekenden te hebben? Schuldbewust staart Anna naar de betonnen vloer. Wat is er verdomme toch mis met haar, vraagt ze zich af, terwijl ze wanhopig naar de gesloten deur staart. Ze voelt aan haar voorhoofd. Het lijkt weer gloeiend heet. Een intense vermoeidheid komt op. Als ze even haar ogen sluit, kan ze daarna misschien weer helder denken. Anna legt haar hoofd op het tafeltje en valt binnen een paar minuten in een halfslaap vol onrustige beelden. Ze ziet haar moeder bingo spelen in het verzorgingshuis, Maria en Laurens door een leeg huis lopen, Frank die haar met zijn diepbruine ogen onderzoekend aankijkt en zelfs haar huisgenoot Emilio Richelli. Dan wordt het beeld troebel en is Anna in de auto onder water. Ze ziet de kleine Anna verwoed het raampje van de auto opendraaien. Haar vader op de bestuurdersstoel gebaart haar met een intens liefdevolle blik dat ze naar de oppervlakte moet zwemmen. Ze knikt, wurmt zich naar buiten en zwemt met krachtige slagen weg van de zinkende auto om toe te geven aan het brandende verlangen naar lucht in haar longen. Halfweg bedenkt ze zich. Deze keer wel. Ze draait om, zwemt zo snel ze kan terug en geeft een harde ruk aan het portier aan de bestuurderszijde. Geen beweging. Verontrust zoekt ze zijn vertrouwenwekkende blik, maar tot haar afschuw ziet ze alleen zijn lege, holle ogen. De mond in zijn intens bleke, wasachtige gezicht lijkt geopend in een langgerekte, wanhopige schreeuw.

Het geluid van een sleutel in het slot schrikt haar op. Verstijfd van angst kijkt ze naar de deur. Die gaat halfopen. Een gele boodschappentas wordt naar binnen geschoven. Met een knal gaat de deur weer dicht en de sleutel wordt omgedraaid. Beduusd kijkt Anna naar de tas boven aan de trap. Na enkele tellen staat ze wankelend op, klimt naar boven en kijkt wat erin zit. Bovenop ligt een grauwe lichtgrijze deken. Hij staat stijf van het vuil en ruikt muf, maar ze is blij met de warmte die hij haar kan geven. Een halveliterpak melk en wat voorverpakte broodjes volgen. Kaas en ham. Onder in de tas ligt een rol toiletpapier. Anna krabt zich op haar hoofd. Waar zou ze hier eigenlijk moeten plassen? Ze gaat weer naar beneden, slaat de stinkende deken om zich heen en gaat met opgetrokken knieën op de stoel zitten.

40

Lisa

Een fel licht verblindt haar. Lisa wil haar handen voor haar ogen slaan, maar merkt dat ze op haar rug vastgebonden zitten. Ook haar voeten zitten aan elkaar vast. Ze ligt opgevouwen in wat vermoedelijk de achterbak van een auto is. Lisa probeert zich te richten op een ander punt in de omgeving maar de lichtbundel volgt haar blik. Gefrustreerd sluit ze haar ogen. Waar ben ik, wil ze vragen, maar er zit iets in haar mond. Paniek overvalt haar. Ze spert haar neusgaten open en ademt schokkerig. Er komt amper lucht binnen door haar eeuwig verstopte neusgaten. Ik stik, ik stik, denkt ze. Wanhopig trekt ze aan de tape die haar handen en voeten op hun plek houden. Dit gaat helemaal mis. Haar hart gaat als een razende tekeer en haar ademhaling is snel en oppervlakkig. Een rood waas kruipt voor haar ogen. Is dit het nu, denkt ze. Ga ik zo dood? Als een dier in een val?

Een sterke weerzin komt in haar op. Ze heeft meer tijd

nodig. Ze moet haar kinderen nog grootbrengen en er stabiele en gelukkige volwassenen van maken. De tranen springen in haar ogen. Wat als ze Harald, Henry en Franka nooit meer ziet? Wat als ze opgroeien zonder haar? Dat is onvoorstelbaar. Ze mag niet dood. Zo simpel is het. Ontspan, beveelt ze zichzelf. Geconcentreerd blaast ze uit door haar neus om daarna diep te inhaleren. Dat levert een reutelend geluid op in haar neusholte, maar ze voelt wel hoe de zuurstof zich weer een weg baant naar haar longen. Adem in, adem uit, dicteert ze en pas als ze het gevoel heeft haar ademhaling weer onder controle te hebben, opent ze haar ogen en gluurt ze door haar wimpers. Achter de lamp ziet ze een donkere gestalte.

'Het was mooi om te zien hoe je jezelf weer onder controle kreeg,' zegt een mannenstem. 'Maar helaas moet ik je toch weer even buiten westen brengen, want we zijn nog niet op onze bestemming.'

De prop die in haar mond zat wordt verwijderd, maar dan ruikt ze de sterke lucht van ether en vrijwel onmiddellijk tuimelt ze weer in een diep zwart gat.

Als ze weer bij kennis komt, kijkt ze tot haar verbazing in de ongeruste ogen van Anna, die in een roze, badstoffen pyjama en met ingegipste voet voor haar op een viezige deken zit. Lisa grijpt naar haar brandende keel. Haar hoofd bonkt. 'Rustig maar', zegt Anna zacht.

'Wat doe ik hier? Wat doe jij hier? Waar zijn we?' vraagt Lisa verward terwijl ze overeind probeert te komen.

'Ik weet het niet. Voordat ik hier wakker werd, lag ik thuis in mijn eigen bed.'

Lisa wijst naar de aan elkaar geplakte duct tape die naast haar op het smerige matras ligt. 'Zat ik daarmee...?' vraagt ze.

Anna knikt. 'Je werd hier door een man vastgebonden naar binnen gegooid. Ik heb je losgemaakt.'

'Bedankt,' antwoordt Lisa zacht terwijl ze de spaarzaam ingerichte kelder in zich opneemt. 'Heb je Henry gezien?'

Anna schudt haar hoofd. 'Je was alleen. Heeft hij Henry ook?'

Lisa knikt mistroostig. 'Verdomme', vloekt ze zacht terwijl ze probeert te bevatten wat haar overkomt. 'Wat is het voor een man?' vraagt ze.

'Ik heb hem alleen gezien toen hij jou hier naar binnen bracht. Hij was onherkenbaar want hij droeg een apenmasker,' zegt Anna zacht. Lisa rilt.

'Ik kon hem ook niet goed zien, want hij verblindde mij met een zaklamp. Maar ik heb zijn stem wel gehoord. Hij heeft een Oost-Europees accent. Ik ken het van mijn Poolse huishoudster, hoewel het net iets anders klinkt. Wat wil hij?'

Anna haalt haar schouders op. 'Wist ik het maar. Hij heeft nog niets tegen me gezegd.'

'Zou het dezelfde man zijn als van de aanrijding?'

Anna kijkt Lisa onthutst aan.

'Het ziet ernaar uit dat hij het op ons allebei heeft gemunt, Anna. Anders zaten we hier niet met zijn tweeën.'

'Maar waarom dan? Wat is het verband tussen ons?'

Lisa denkt hardop na. 'Wat hebben we gemeenschappelijk? We kennen elkaar uit het vrouwennetwerk. Zou hij een hekel hebben aan carrièrevrouwen?' Lisa denkt aan alle mensen die ze had moeten ontslaan tijdens de bezuinigingsoperatie; dat werd haar niet bepaald in dank afgenomen. 'Zou het erom gaan dat we succesvol zijn in ons werk en daardoor een bepaalde macht hebben verworven? Er zijn mensen, meestal mannen, die zich daar heel ongemakkelijk bij voelen. Zou hij ons daarom willen kleineren?'

'Is dat niet heel vergezocht?' vraagt Anna voorzichtig.

Lisa haalt geërgerd haar schouders op. 'Ik probeer ook maar wat. Weet jij iets beters? Had jij ooit gedacht dat jij samen met mij opgesloten zou zitten in een kelder? Dat is pas vergezocht. Je weet nooit hoe die dingen werken. Het kan een opeenstapeling van gebeurtenissen zijn waardoor op een gegeven moment de bom barst. Misschien is hij zijn baan kwijtgeraakt aan een vrouw, is zijn echtgenote ervandoor met zijn beste vriend en had hij een gemene, dominante moeder. Het zou niet de eerste seriemoordenaar zijn met een dergelijke achtergrond.'

Anna kijkt haar ontzet aan. 'Seriemoordenaar! Mijn god!'

Lisa kreunt en slaat haar handen voor haar ogen. Ze doet haar uiterste best om niet te denken aan de gruwelijke dingen die hun ongetwijfeld te wachten staan. Iemand die twee vrouwen opsluit in een kelder, heeft geen goede bedoelingen. Ze vermant zich. 'Anna, we moeten proberen rustig te blijven. Goed na blijven denken. Een manier verzinnen om hier weg te komen.' Een laag brommend geluid dringt de ruimte binnen. 'We zitten in de buurt van een vliegveld,' constateert ze als het geluid bijna is weggestorven.

Anna kijkt haar verrast aan. 'Ik dacht dat het zware vrachtwagens waren en dat we op een soort van bedrijventerrein zaten.'

'Nee, dit was onmiskenbaar een vliegtuig, een Boeing 747, denk ik. En als ze zo laag vliegen, is het vliegveld niet ver weg.' Lisa knikt omhoog naar de houten deur aan het einde van de stenen trap. 'Op slot zeker?'

Anna knikt mismoedig. 'Ik heb voor mijn gevoel al uren om hulp geschreeuwd en zoveel mogelijk herrie gemaakt. Geen reactie.'

Lisa kijkt bezorgd naar Anna's magere gezicht. 'Hoe voel je je eigenlijk? Je ziet nogal bleekjes.'

Anna trekt een grimas. 'Deze vochtige kelder is niet bevorderlijk voor een longontsteking. En ik heb geen bril en zeer slechte ogen, wist je dat al? Dat geeft een aardig hulpeloos gevoel.' De zwarte wallen onder Anna's rode ogen steken af tegen haar lijkbleke gezicht.

'En dan hebben we natuurlijk mijn gebroken voet nog...' Ze wijst naar haar linkervoet, waarvan de kleurig gelakte teennagels uit het gips steken.

'Meisje toch,' fluistert Lisa. Ze schuift naast Anna op de vieze deken en slaat haar arm om haar vriendin heen. Het lichaam van Anna begint te schokken en algauw druppen dikke tranen op haar roze pyjamabroek. Lisa verbijt haar tranen en kijkt naar de zware, gesloten deur. Ze fluistert: 'Je krijgt vijf minuten om uit te huilen, Anna, maar daarna gaan we bedenken hoe we hier weg kunnen komen. Dit pikken we niet. We gaan zorgen dat we hier uitkomen, want ik moet Henry gaan zoeken. Koste wat kost.'

41

Anna

De deur van de kelder zwaait open. Een zweem van grauw daglicht valt binnen. Anna staat verdekt opgesteld naast de trap en ziet op ooghoogte een paar dure bergschoenen in de deuropening verschijnen. Ze spant haar spieren aan. De hand van de man strekt zich uit naar de lichtknop aan Anna's kant. Ze verstevigt haar greep op de stoel en verzamelt al haar moed. Het is nu of nooit. Exact op het moment dat ze de gammele, houten keukenstoel met al haar kracht in zijn richting gooit, knipt hij het licht aan. Ze hoort een doffe klap, gevolgd door een oorverdovend gekletter als de stoel de betonnen vloer raakt, aangevuld met een vloek in een taal die ze niet kent. Verschrikt kijkt Anna op. De man met het apenmasker schopt de stoel rakelings langs haar heen de kelder in en torent nu dreigend boven haar uit. In zijn handen heeft hij een vlijmscherp mes.

'Sorry,' prevelt ze. Ze hebben de deken zo geschikt dat het

lijkt of Lisa eronder ligt, maar die bevindt zich achter de man en probeert hem bij zijn enkels te pakken. Tevergeefs. Hij staat te ver weg. Afleiden, ik moet hem afleiden, denkt Anna. 'Waarom zijn we hier?' vraagt ze met schrille stem.

De man geeft geen antwoord. 'Ga jij eerst maar eens op dat matras zitten,' zegt hij na een paar seconden. 'En neem die vriendin van je meteen mee,' zegt hij voordat hij zich omdraait en in een snelle, vloeiende beweging met zijn voet uithaalt om Lisa een harde trap tegen haar gezicht te geven. Gillend van de pijn duikt Lisa ineen.

'Dacht je echt dat ik je niet zag?' Hij lacht hard en onaangenaam.

Anna strompelt naar Lisa. Over de rechterkant van haar gezicht zit een zwarte veeg en er komt bloed uit haar neus en wenkbrauw. Bibberend gaan ze zitten. De man blijft wijdbeens boven aan de trap staan.

'Eigenlijk ben ik helemaal niet zo'n onsympathieke man, maar als ik jullie niet kan vertrouwen, dwingen jullie me om dit soort dingen te doen. Dat begrijpen jullie vast wel.'

'Waar is Henry?' vraagt Lisa.

'Henry?'

'Mijn zoon Henry.'

'O ja, dat grappige jongetje.'

'Waar is hij?'

'Op een veilige plek. Ik pas goed op hem.'

Anna ziet dat Lisa haar vuisten balt. 'Wat wil je van ons?' vraagt ze.

Aapman zwijgt even. 'Zou je graag willen dat ik jullie dat

vertel?' vraagt hij. 'Dan maak ik het jullie wel heel gemakkelijk. Ik denk dat ik het jullie liever laat voelen. Het zelf meemaken werkt namelijk het best. Dat jullie goed beseffen waarvoor jullie gestraft worden, is heel belangrijk voor mij. O jee, nu verklap ik al te veel.' Aapman lacht hard om zijn eigen opmerking. 'Begrijpen jullie het nog? Maar goed, de komende dagen zullen jullie het zelf gaan meemaken. Stel je maar in op een, hoe zal ik het noemen, enerverende periode.' Hij draait zich om en maakt aanstalten om het licht weer uit te doen. 'Jullie hebben het het liefst donker, toch? Ik zal jullie je zin geven.' De deur knalt dicht en het is aardedonker.

'Ik ga het licht weer aandoen,' fluistert Anna, terwijl ze zich op de tast naar de trap toe beweegt. Als ze eindelijk de lichtknop heeft gevonden, gebeurt er niets. 'Shit, hij heeft de stroom uitgezet,' zegt ze voordat ze naar de huilende Lisa terugkruipt en naast haar op het matras gaat liggen. De uren daarna gaan de vreselijkste gedachten door haar hoofd over alles wat hun te wachten zal kunnen staan. Uiteindelijk valt ze in een onrustige slaap, waaruit ze ontwaakt door een schop tegen haar arm. Het licht doet het weer. Boven haar ontwaart ze aapman met het mes in zijn handen. Om hem heen hangt een zure, indringende alcoholwalm.

'Tape haar vast,' slist hij terwijl hij in Lisa's richting gebaart.

Zenuwachtig pakt Anna de tape aan en bindt Lisa's voeten aan elkaar.

'Handen ook,' commandeert haar belager.

Anna voelt hoe Lisa haar handen een beetje uit elkaar

houdt en doet er de tape zo los mogelijk om. Aapman lijkt het niet in de gaten te hebben.

'Op tafel jij,' zegt hij.

Onzeker kijkt Anna hem aan.

'Op tafel, godverdomme!' schreeuwt hij.

De alcoholwalm beneemt haar de adem. De man moet stomdronken zijn. Anna hinkt naar het houten tafeltje en kijkt hem vragend aan. 'Op je buik. Als een onderdanige hond. Zo heb ik je het liefst.'

Anna's hart begint hevig te bonzen. Angstig schudt ze haar hoofd. Dreigend komt aapman dichterbij, het staal van het mes glanst. 'Als je nu gewoon braaf gaat liggen, zal ik mijn eigen gereedschap gebruiken in plaats van dit mooie, scherpe mes. Wie weet wat dat voor schade kan aanrichten.' Hij lacht hard.

Anna krimpt ineen.

'Schiet op, vuile slet. Normaal gesproken lust je er wel pap van,' sist hij.

Hoewel alles in haar schreeuwt om verzet, gaat Anna liggen en sluit haar ogen. Ze voelt dat Aapman haar polsen vasttapet aan de tafelpoten. Angstig wacht ze af. Even is het stil, op de zware ademhaling van aapman na. Dan hoort ze zijn voetstappen zich verwijderen. Ze opent haar ogen. Hij is weg. De deur staat open. Enkele seconden blijft het stil, maar dan verschijnt hij weer in de deuropening. Radeloos knijpt ze haar ogen weer stevig dicht. Aan de dikke alcoholwalm merkt ze dat hij naast haar staat. Ze kokhalst. Bittere gal vult haar mond. Haar pyjamabroek en slipje worden ruw uitge-

trokken en ze voelt hoe zijn ruwe handen haar benen sprei-
den. Een pijnscheut schiet door haar buik. 'Nee,' kreunt ze.

'Bek houden, hoer,' snauwt haar belager lispelend terwijl
hij haar goede enkel vasttapet aan de tafelpoten. Hardhan-
dig grijpt hij naar haar ingegipste voet. Anna slaakt een kreet
van pijn. Ook de gebroken voet wordt vastgetapet. Angstig
wacht Anna af. Hij rochelt en een vies slijmerig goedje verspreidt zich tussen haar billen. Meteen daarna voelt ze een
scherpe, stekende pijn tussen haar benen. Haar lichaam verzet zich uit alle macht tegen de indringer. De pijn neemt toe.

'Laat me toe of ik maak dat gat kunstmatig wat groter,'
dreigt hij weer.

Anna weet wat haar te doen staat. Ontspan, spreekt ze
zichzelf in gedachten toe. Anders ben je straks dood. Opnieuw voelt ze een snijdende steek in haar buik, maar na een
paar stoten zakt de pijn langzaam weg. Aapman beweegt
schokkerig en aritmisch. Zijn handen tasten naar haar billen,
gaan langs haar taille omhoog en graaien naar haar pijnlijke
borsten. Hij praat hijgerig. 'Dit is toch wat je wilt, Anna? Het
enige wat jou interesseert is dat alle mannen je willen neuken. *No matter what.* Toch, Anna? Nou, ik zal het je geven.'
Hij stoot hard. Anna krimpt weer ineen van de pijn. Minuten gaan voorbij. Intussen is aapman overgestapt op een onverstaanbare taal. Hij brabbelt non-stop. Anna opent haar
ogen en ziet de verbijsterde blik van Lisa. Het bloed schiet
naar haar wangen. Ze wendt beschaamd haar gezicht af.

Naarmate haar belager sneller stoot, neemt zijn stem-
volume toe. Hoewel Anna zich ervan af probeert te sluiten,

dringen flarden van zijn gepraat tot haar door. 'Sorry,' onderscheidt ze in de bijna onverstaanbare woordenstroom, en
ook de naam Natasja. Meerdere malen. Steeds harder.

Na nog een harde stoot met een oorverdovende kreet laat
hij zich als een zoutzak op haar vallen. Dan begint hij hevig
te schokken en maakt een soort gierend geluid alsof hij geen
adem kan krijgen. Anna voelt nattigheid op haar rug. Het
duurt even voordat ze beseft dat haar verkrachter in huilen
is uitgebarsten.

42

Ewoud

Ewoud snuift de frisse berglucht op en kijkt tevreden om zich heen. De zon weerkaatst in de sneeuw en dat geeft het landschap om hem heen een onwerkelijke aanblik. De staalblauwe lucht, besneeuwde bergtoppen en de houten huizen met hun rokende schoorstenen zouden zo uit een sprookjesboek kunnen komen. In dit Zwitserse stadje, waar het lot hem naartoe bracht, lijkt alles puur en zuiver: de lucht, de natuur en de stugge bewoners, die zich het liefst alleen bezighouden met hun eigen zaken. Hier, op duizend kilometer afstand van huis, kan hij eindelijk ontspannen. Niemand kent hem, niemand zal hem veroordelen. Hier, op deze ongerepte plek, kan hij het verleden begraven en ongestoord een nieuwe toekomst opbouwen. Ewoud tuurt naar het dal en ontwaart na enig zoeken het hotel waar hij sinds een paar dagen verblijft. Een minpunt is dat het logement volzit met wintersporttoeristen. Het is zaak daar zo snel mogelijk weg te gaan. Hij neemt zich voor om diezelfde dag nog een makelaar in de hand te nemen. Wanneer hij eenmaal een mooi, rustig gelegen huisje heeft gevonden, kan hij zich gaan oriënteren op de volgende stap: het bedrijf dat hij wil starten. Ewoud zuigt zijn longen vol en controleert de bindingen van zijn ski's. Het vertrouwen dat het gaat lukken, neemt toe. Misschien kan hij een skischool beginnen. Ooit was hij een uitstekende skiër. Als hij de komende dagen nou eens goed oefent en zijn conditie verbetert, komt het met zijn niveau vast wel weer in orde. Zelfs de kou is in dit land beter te harden dan in het kwakkelende Nederland, hoewel de dure skiuitrusting die hij direct na aankomst gekocht heeft daaraan ongetwijfeld ook bijdraagt.

Toen hij gisteren de bank binnenliep, bekeek het personeel hem in eerste instantie argwanend, maar nadat hij zich als klant bekend had gemaakt, draaiden ze om als een blad aan een boom en bogen ze als knipmessen voor hem. Dat respect voelde voor hem zo goed dat hij in zijn geluksrush meteen twintigduizend euro aan contanten opnam en zich compleet in het nieuw liet steken in een chique herenkledingzaak. Daarna kocht hij bij een sportzaak een skiuitrusting voor zichzelf, en ook alvast een voor Anouk. Naar haar kledingmaat moest hij een slag slaan. Hij hoopte maar dat Zwitserse meisjes van acht jaar ongeveer even groot zijn als de Nederlandse, want de verkoper kon niet veel met de foto van de vijfjarige Anouk die hij al jaren in zijn portemonnee met zich meedraagt.

's Avonds ging hij in een chique restaurant eten en dronk

daar twee flessen Lafite Rothschild leeg. De avond werd afgesloten met een bezoekje aan een nachtclub, waarna hij met een meisje en een grote fles champagne in een van de kamers op de eerste verdieping terechtkwam. Deze uitspatting was niet geheel volgens plan, maar na al die jaren van sober leven kon hij zich eenmalig wel een leuke avond veroorloven, sust hij zichzelf.

Ewoud recht zijn rug, grijnst en kijkt het dal in. Het leven ziet er stukken positiever uit. Hij buigt zijn knieën, prikt de skistokken in de sneeuw, zet af en daalt elegant zigzaggend de piste af.

43

Lisa

Anna ligt als een pop op de tafel terwijl aapman als een razende achter haar tekeergaat. Verbijsterd kijkt Lisa toe. Wanneer hij gierend van het huilen op Anna's rug ineenstort en wanhopig de naam Natasja blijft roepen, staan de haartjes op haar armen rechtovereind. Als hij eindelijk weer bij zijn positieven lijkt te komen, trekt hij zijn broek omhoog en verlaat de kelder zonder wat te zeggen. De deur klapt dicht. Een paar seconden is het doodstil.

'Anna?' fluistert ze. Anna antwoordt niet. Lisa durft amper naar haar vriendin in die vernederende positie te kijken. 'Anna?' probeert ze nog een keer.

'Ja,' antwoordt ze. Haar stem klinkt iel. Een hoestbui volgt.

'Rustig maar. Ik probeer naar je toe te komen,' zegt Lisa. Ze zet zich met haar vastgebonden benen af en schuift over de vloer in de richting van Anna. Daar draait ze een halve slag en gaat op haar knieën zitten. 'Gaat het?' Bezorgd kijkt

Lisa naar het doodsbleke gezicht van haar vastgetapete
vriendin. De tranen hebben sporen over haar gezicht getrokken. Anna ontwijkt haar blik en mompelt iets onduidelijks.

'Ik kan mijn vingers nog bewegen. Ik ga proberen je los te
maken,' fluistert Lisa. Nerveus frunnikt ze aan de tape. Vrij
snel vindt ze een los eindje en na een paar minuten zijn ze
beiden bevrijd. Anna hijst haar pyjamabroek omhoog, laat
zich kreunend op het matras vallen en draait haar gezicht
naar de muur. Lisa kijkt machteloos toe. Ze kan de pijn van
Anna bijna voelen. Ze pakt de vieze deken en legt die onhandig over haar vriendin heen. Daarna gaat ze op de enig
overgebleven stoel zitten en vraagt zich vertwijfeld af wat
ze moet doen. Wat moet Anna zich ongelooflijk vernederd
voelen. Wat doet zo'n gruwelijke ervaring met je? Lisa huivert. Ze moeten hier zo snel mogelijk weg zien te komen,
dat is prioriteit één. En als dat gelukt is, moet ze onmiddellijk Henry gaan zoeken. Akelige gedachten flitsen door haar
heen. Het is haar duidelijk geworden dat deze man tot alles
in staat is. Wat is zijn plan met Henry? Lisa voelt de boosheid en vastberadenheid van eerder weer terugkomen. Niemand mag zo met haar of haar kinderen sollen. Niemand!
Het is zaak om alert te blijven, logisch te denken en zich hoe
dan ook niet over te geven aan het gevoel van machteloosheid dat als een donkere wolk boven haar hoofd hangt.

'Denk na, Lisa,' fluistert ze. Ze buigt zich voorover en
steunt met haar hoofd op haar handen. Tijdens de verkrachting had hun belager overduidelijk zijn zelfbeheersing verloren. Ze denkt aan de vrouwennaam die aapman telkens liet

vallen: 'Natasja. Sorry, Natasja.' Dat waren zijn woorden. In zijn stem had ze een diepe wanhoop gehoord. Ze graaft in haar geheugen. Kent ze iemand met de naam Natasja? Er schiet haar niets te binnen.

'Sorry, Anna, maar ik moet je iets vragen. Ken jij een Natasja?' vraagt ze aan de ineengedoken gestalte op het matras.

Even blijft het stil, maar dan komt Anna langzaam overeind. 'Nee, ik geloof het niet...' fluistert ze. 'Maar Lisa... Er is wel iets met aapman. Ik denk dat ik weet wie hij is.' Beschaamd kijkt ze Lisa aan.

'Vertel!'

Anna wordt zo mogelijk nog bleker dan ze al was als ze haar verhaal doet. 'Het zou wel eens kunnen dat ik hem tijdens een van mijn zakenreizen heb ontmoet, 's avonds in een hotel. Ik moest eraan denken omdat hij zo... Nou je weet wel...' Anna haalt diep adem en krijgt meteen weer een hoestbui. Als ze uitgehoest is, kijkt ze Lisa timide aan. Het kost haar overduidelijk veel moeite om dit te vertellen. Ze praat aarzelend en stotterend. 'Hij zei dat ik door alle mannen geneukt wil worden...' Ze zwijgt even. 'Dat is natuurlijk niet zo... Maar blijkbaar denkt hij van wel.' Anna laat een lange stilte vallen, schraapt haar keel en praat verder. 'Weet je, Lisa, ik heb het te druk met het werk en had daarom nooit echt behoefte aan een relatie... maar wel aan seks. Ik ben ook maar een mens.' Anna kijkt haar met grote, onschuldige ogen aan en Lisa kan zich voorstellen dat mannen en bloc vallen voor die oogopslag. 'Ik heb altijd gedacht dat ik nie-

mand kwaad deed met die onenightstands. Ik bedoel, je ontmoet elkaar in een hotel, hebt seks, en de volgende dag gaat
ieder zijn eigen weg. Ik hoefde verder nooit wat van die mannen te weten. En zij niet van mij. Ik dacht dat dat een prima
afspraak was. Toch?' Bijna smekend kijkt ze Lisa aan.

Lisa denkt aan haar eigen ervaringen. Inderdaad had ze
tijdens zakenreizen regelmatig kansen gehad, maar ze was er
nooit op ingegaan. Getrouwd is getrouwd wat haar betreft,
hoe aanlokkelijk het aanbod soms ook is. Ze weet dat sommige mensen daar anders over denken. Ze kent genoeg mannen die hun vrouwen stelselmatig bedriegen. Onverzadigbare
mannen als Frank, die er een hobby van maken zoveel mogelijk vrouwen te versieren en na gebruik te dumpen als oud vuil.

'Een aantal van die mannen met wie je sliep was misschien
getrouwd,' oppert ze voorzichtig. Anna knikt. 'Vermoedelijk
wel, maar dat was niet mijn probleem, want zie je, het is
hun eigen verantwoordelijkheid. Zij moeten hun vrouw de
volgende dag in de ogen kunnen kijken, niet ik. Het is niet
mijn schuld. Toch?' Angstig kijkt Anna Lisa aan.

'Natuurlijk niet, Anna,' troost Lisa haar. 'Maar je moet
beseffen dat je een heel mooie, bijzondere vrouw bent. Een
vangst. Misschien zaten er mannen tussen die andere verwachtingen hadden...' Ze zwijgt even en knikt naar de deur.
'Heb je met hem geslapen?'

'Ik zou hem zonder masker moeten zien. Maar zijn accent,
postuur en de manier waarop hij me zojuist belaagd heeft, doen
me wel denken aan iemand die ik een jaar of twee geleden heb
ontmoet. Het was in december en zijn naam was Victor.'

44

Het is twee jaar geleden dat ik mijn vrouw Natasja verloor. Twee lange jaren waarin ik nooit aan seks dacht. Totdat ik jou met je verderfelijke, uitdagende en gekmakende lijf weer binnen handbereik had. Zo dicht bij jou ken ik mezelf niet meer. Door jou verlies ik de controle. Je moest eens weten hoeveel macht je over me hebt. Nog steeds.

Ik dacht dat we een echte band hadden, Anna. Die avond vertelde je me persoonlijke dingen die je nooit aan iemand anders had verteld. Over de dood van je vader, je moeilijke jeugd, over je lieve zus. Je huilde, ik troostte. Je was zo mooi. Zo lief en kwetsbaar. Ons contact was zo intens. Mijn hart opende zich.

God zond me een engel. Dat dacht ik die avond, Anna. Ik had die avond alles voor je willen opgeven. Ik wist alleen niet dat dat zo letterlijk en zo snel zou gebeuren.

God zond me geen engel, maar een duivel.

45

Anna

Mijn verdiende loon, denkt Anna terwijl ze haar ogen strak op de muur gericht houdt. Ze kan Lisa's blik vol medelijden niet verdragen. Ze verdient geen medeleven. Aapman heeft gelijk, ze verdient straf. De afgelopen uren heeft ze diep nagedacht over de manier waarop ze in het leven stond. Hoe heeft het zover kunnen komen? Heeft ze zich te veel door Frank laten beïnvloeden? Ze heeft hem al die jaren diep bewonderd om wat hij bereikt had. Zou ze onbewust zijn levensstijl gekopieerd hebben? Ze moet bekennen dat ze Frank nooit veroordeeld heeft om zijn buitenechtelijke escapades. Op een gegeven moment was ze het zelfs normaal gaan vinden om na lange werkdagen samen met hem als twee roofdieren in de hotelbar op zoek te gaan naar hun prooi van die avond. Degene die het eerste de buit had binnengehaald, was de winnaar. Ze maakten er niet veel woorden aan vuil – als je het benoemt, verdwijnt de lol – maar de knipoogjes die ze elkaar de volgende ochtend gaven aan de ontbijttafel waren veelbetekenend. Het zorgde ervoor dat ze zich gelijkwaardig aan hem voelde. Als een van de jongens. Zij liet zich niet kwetsen. Ze behield zelf de controle. Net als Frank. Ongemerkt was het een levensstijl geworden. Als je jezelf maar genoeg afsluit van de rest van de wereld, denk je ermee weg te kunnen komen, beseft Anna. Ze had in haar eigen zorgvuldig gesponnen cocon geleefd. Er was niemand die haar ter verantwoording riep over haar gedrag. De enige die ze dichterbij liet komen was haar zus, maar ook tegenover haar zweeg ze liever over haar avontuurtjes. Ze wist dat Maria niets liever wilde dan dat zij een stabiele, degelijke relatie zou krijgen. De onhandige koppelpogingen die Maria soms ondernam, vergaf ze haar.

Anna zucht diep. Als ik hier ooit nog uitkom, ga ik mijn leven beteren, neemt ze zich voor. Als het moet, zal ik door het stof kruipen om Maria's vergiffenis te krijgen. En geen avontuurtjes meer. Met niemand en zeker niet met getrouwde mannen.

Maar eerst moet ze dit zien te overleven.

Anna weet niet hoeveel uren er voorbij zijn gegaan als de deur wordt geopend en het licht weer wordt aangedaan. Aapman staat boven aan de trap. In zijn handen heeft hij het mes.

'Ga rechtop zitten,' commandeert hij. Als Anna overeind probeert te komen, duizelt het haar. Een hevige pijn trekt door haar rug. Ze verbijt zich en steunt tegen de muur.

'Ernaast, jij,' snauwt hij naar Lisa. Anna ziet dat Lisa haar vuisten gebald heeft.

'Waarom zou ik, vuile smeerlap,' bijt ze hem toe, 'zodat jij mij ook kunt verkrachten?'

Even blijft het stil, maar dan barst aapman in lachen uit. 'Dacht je dat ik jou ook een beurt zou geven?' Hij komt bijna niet bij van het lachen. 'Jij bent mijn type niet, maak je geen zorgen. De gedachte alleen al.' Langzaamaan bedaart hij en secondelang is het stil. Hij gaat boven aan de betonnen trap zitten, zijn benen wijd gespreid. 'Wil je weten hoe het met je zoon gaat?' vraagt hij nonchalant aan Lisa.

Anna ziet paniek op Lisa's gehavende gezicht verschijnen.

'Ja,' zegt ze bijna onhoorbaar.

Aapman zwijgt even voordat hij begint te praten. 'Kinderen zijn een kostbaar bezit. Daarom moet je zuinig op je kinderen zijn. Heel zuinig. Anders kunnen ze je zomaar ontnomen worden.' Hij knipt met zijn vingers. 'Pats. Weg. Verdwenen. Foetsie, zoals jullie Nederlanders zeggen.' Hij zwijgt weer.

Anna legt haar hand op Lisa's arm.

'Maar wat ik eigenlijk wil zeggen: als ik jou was zou ik me flink zorgen maken,' zegt hij fijntjes.

Anna voelt dat Lisa begint te trillen. Ze slaat haar arm om haar vriendin heen. Lisa schokschoudert hevig.

'Ik heb nog iets voor jou,' zegt hij dan tegen Anna. 'Kom maar halen.'

Anna knijpt haar ogen samen om te kunnen onderscheiden wat hij in zijn handen heeft.

Aapman lacht. 'Zo te zien heb je hem hard nodig. Het is je bril. Hij lag nog op je nachtkastje. Kom je hem even halen?'

Verward kijkt Anna Lisa aan.

'Als je nu niet komt, gooi ik hem weg. De keuze is aan jou.'

Wankelend staat Anna op en hinkelt naar de trap. Ze ademt zwaar.

'Kom maar hier...' zegt hij, terwijl hij de bril op zijn uitgestrekte linkerhand uitnodigend voor zich houdt. Tree voor tree kruipt Anna op handen en voeten naar boven. Ze voelt zich doodziek, het zweet stroomt over haar voorhoofd, maar het is van levensbelang dat ze haar bril terugkrijgt.

Wanneer ze bijna bij hem is, trekt hij zijn uitgestoken hand weer terug. Anna verstijft. Wat is hij van plan?

'Het gaat niet zo goed met je, hè?' constateert Aapman. Zijn stem klinkt bijna opgewekt.

Anna zwijgt. Ze kijkt naar het mes in zijn rechterhand. Misschien zou ze het met een welgemikte schop uit zijn hand kunnen trappen. Maar wat dan? De aanhoudende koorts eist zijn tol. Ze is veel te zwak om met hem te vechten. Ze probeert te onderscheiden wat voor een ruimte zich achter Aapman bevindt. Het lijkt een klein keukentje, maar ze kan de details niet goed onderscheiden in het felle tegenlicht. Had ze haar bril maar. Ze kijkt naar het apenmasker en probeert de blik in zijn ogen te onderscheiden.

'Heb je me al herkend?' vraagt hij zacht. 'Of heb je zoveel gekke Russen geneukt dat ik slechts een van de velen ben?'

'Victor. Je heet Victor,' zegt ze zacht.

'Goed geraden. Dan heb ik toch meer indruk op je gemaakt dan ik dacht.' Met een sierlijke boog gooit hij de bril over haar heen op het matras.

Geschrokken kijkt Anna naar de plek waar ze haar bril vermoedt.

'Hij is nog heel,' zegt Lisa, die hem snel gecontroleerd heeft.

Op dat moment voelt Anna een harde trap tegen haar goede been, waardoor ze bijna van de trap tuimelt.

'Naar beneden jij, dan kan ik daarna eindelijk dit vreselijke, warme masker afdoen.'

Zo snel ze kan gaat Anna terug naar het matras en neemt plaats naast Lisa, die haar de bril in handen duwt. De scherpe wereld die zich voor haar ogen ontvouwt als ze hem heeft opgezet, doet pijn aan Anna's ogen. Ze knippert en focust op de Aapman.

'Zijn jullie er klaar voor?' vraagt Aapman voordat hij tergend langzaam het masker van zijn gezicht verwijdert.

Gespannen kijken Anna en Lisa toe. Het duurt even voordat Anna hem herkent van die nacht ruim twee jaar geleden. Hij is veel magerder geworden en zijn gezicht vertoont diepe groeven en zware wallen. Bovendien is zijn gezichtsuitdrukking anders. Destijds waren de trekken in zijn brede Slavische gezicht zacht en teder. Nu ziet ze een doorgroefde, afgeleefde kop met ogen vol haat.

'Aan je grote ogen kan ik zien dat je van me schrikt,' zegt hij tegen Anna. 'Ik moet toegeven dat ik er destijds wat beter uitzag.' Weer lacht hij hard. 'In feite ben ik nu een wandelend lijk.'

Anna graaft diep in haar geheugen. In flarden komen de

herinneringen terug. Ze was samen met Frank in een hotel in Madrid. Na het werk dronken ze wat in de hotelbar en maakte Frank werk van een gewillige Britse toeriste. Om hem af te troeven legde ze het aan met deze Nederlandse Rus, die voor zaken in de stad was. Ze kletsten wat in de hotelbar, hadden seks en daarna was ze vermoedelijk, zoals meestal, terug naar haar eigen kamer gegaan. Of niet?

Was het eigenlijk wel zo gegaan? Iets ongrijpbaars fladdert haar gedachten in. Nog sterker probeert ze zich de nacht met deze man voor de geest te halen. Het beeld van de seks doemt op. Ze hadden meerdere malen gevreeën, maar het was niet erg bijzonder geweest met deze man. Dat was het eigenlijk nooit. Soms vraagt Anna zich af of het haar niet meer om het vastgehouden worden gaat dan om de daad op zich.

Dan schiet het haar te binnen! Natuurlijk! Vandaar de hamsterbal! Plotseling is de herinnering pijnlijk scherp. Ze was die avond neerslachtig geweest, worstelde met haar verleden en door het intieme gevoel dat het lichamelijke contact opwekte, was er die avond iets in haar gebroken. Nadat ze een paar flessen wijn hadden leeggedronken, had ze hem het hele verhaal van haar jeugd verteld in de veronderstelling dat ze de man toch nooit meer zou zien. De volgende ochtend was ze met een stevige kater naast hem wakker geworden en stiekem zijn hotelkamer uitgeslopen. Daarna had ze hem nooit meer gezien.

'Ik zie je hersenen kraken,' merkt Victor cynisch op. 'Je vraagt je vast af wat je gedaan hebt om mij zo boos te maken?'

Verward kijkt Anna hem aan en knikt.

'Goed dan. Ik zal het je vertellen,' zegt hij. Hij vouwt zijn handen ineen, de punt van het mes vooruitgestoken. Er verschijnt een mildere blik in zijn ogen.

'Toen ik je twee jaar geleden ontmoette, zat mijn huwelijk in een zware crisis. We waren veel te jong toen we trouwden, hadden beiden nooit een ander gehad. Natasja en ik kennen elkaar vanaf de middelbare school en wisten niet beter dan dat we bij elkaar hoorden. Toen ik carrière begon te maken en twaalf jaar geleden een mooie baan in Nederland kreeg aangeboden, gaf zij haar werk als wiskundelerares op en ging met me mee. Ik vond het hier prachtig en wilde meteen een van jullie zijn. Vanaf mijn eerste dag hier sprak en dacht ik zoveel mogelijk in het Nederlands. Ik leerde jullie geschiedenis, keek jullie films en televisieprogramma's, las jullie literatuur en leerde jullie prachtige taal. Ik vond het heerlijk om hier een heel nieuw leven op te bouwen. Maar Natasja verpieterde. Ze miste haar familie en vrienden, legde moeilijk contact, vond geen aansluiting. Ze bleef moeite houden met het Nederlands en daarom kon ze geen baan vinden in het onderwijs. We kregen kinderen, maar ook dat veranderde niets aan haar eenzaamheid en frustratie. Ik was veel op reis en als ik thuis was, trof ik een verongelijkte, ontevreden vrouw aan. Ik werd er radeloos van en ik moet bekennen dat ik steeds minder graag naar huis ging. Het gevolg was dat we ieder in onze schulp kropen. Dat ging jaren zo door, we vervreemdden steeds meer van elkaar. Onze liefde was op sterven na dood. Er was alleen nog maar kilte. En toen ontmoette ik jou, Anna.'

Hij zwijgt even en kijkt haar recht in de ogen. Zijn ogen krijgen een zachte uitdrukking. 'Je was de mooiste vrouw die ik ooit gezien had. Dat jij mij begeerde en dat jij je ziel voor mij opende, was het beste wat mij ooit was overkomen. Ik ben een romanticus, Anna, ik geloof in liefde op het eerste gezicht. Voor mij was het niets minder dan dat. Ik was nog nooit eerder zo overdonderend verliefd geweest.' Hij zwijgt even en Anna ziet tranen in zijn ogen blinken. 'Ik wist dat zoiets je maar één keer in je leven overkomt en dat ik mijn kans niet mocht laten schieten.'

Hij sluit zijn ogen even. Als hij weer begint te praten, is zijn toon anders. 'Weet je nog dat de telefoon ging, Anna?'

Anna schudt haar hoofd. 'Nee, sorry.'

'Je had je hart uitgestort, we hadden net voor de derde keer gevreeën en waren zogenaamd op weg om een nieuw wereldrecord bij elkaar te vrijen. We waren in een jolige bui, zeg maar. Jij nam de telefoon op en noemde jezelf mevrouw Victor.'

Anna schrikt. Had ze dat werkelijk gedaan? Ze moest ontzettend dronken zijn geweest. Ze graaft diep in haar geheugen.

Victors stem trilt. 'Zonder de hoorn af te schermen zei je: "Schat, het is voor jou."' Hij zwijgt even. 'En toen gaf je de telefoon aan mij.'

Heel vaag herinnert Anna zich de vrouwenstem die om Victor vroeg. Daarna was hij met de telefoon naar buiten gelopen.

'Toen ik terug in de hotelkamer kwam sliep je al, maar

toen ik de volgende ochtend wakker werd, was je verdwenen. Ik ging je zoeken, maar zag je nergens. Wel kwam ik je baas tegen in de ontbijtzaal. Ik vroeg hem waar je was. Ik noemde je mijn geliefde. Ik was zo gelukkig, Anna. Ik kon wel van de daken schreeuwen dat ik van je hield. Weet je wat hij zei: "Maak je geen illusies. Die vrouw wordt nooit van jou. Ze heeft iedere nacht een andere man." De minachting die hij voor me voelde, droop van zijn gezicht. Ik geloofde hem niet. Natuurlijk niet. Onze liefde was puur en zuiver, daarvan was ik overtuigd. Ik heb de hele dag op je gewacht in de hotelbar. Toen jij uiteindelijk 's avonds laat binnenkwam, had je een grote kerel bij je. Ik wilde enthousiast op je afstappen, maar toen ik dichterbij kwam, zag ik wat er aan de hand was. Wellustig kronkelde je je lijf tegen die vent aan, net zoals je de avond daarvoor bij mij had gedaan. Je zag me niet. Maar je baas zag me wel. Hij gaf me een knipoog.' Hij kijkt haar getergd aan. 'Anna, mijn hart brak.' Hij hapt naar adem. 'Want weet je, die avond toen je bij me was, wilde mijn vrouw van mij weten wat er aan de hand was. Ik heb haar toen de waarheid verteld. Ik kon niet anders. Ik heb haar gezegd dat ik smoorverliefd was geworden op jou. Ze werd woest, Anna. Ondanks al onze problemen geloofde Natasja nog steeds in onze relatie. In ons gezin. Ze was een echte vechter, Anna. Een heel bijzondere, sterke vrouw. Ik was haar liefde absoluut niet waard.' Victor veegt een traan van zijn wang en dempt zijn stem. 'Ze wilde per se naar me toe komen. Redden wat er te redden viel.' Hij zwijgt even en haalt dan diep adem. 'Het was schoolvakantie. Ze zou de kinderen meenemen. De eerste vlucht naar Madrid die ze kon boeken voor drie personen, was twee dagen later: op 10 december.' Zijn stem breekt.

Naast haar hoort Anna Lisa fluisteren: 'Het vliegtuig naar Madrid... 10 december... Nee... o mijn god... Nee!'

46

Ewoud

De grote houten villa ligt aan het einde van een landweggetje. Het huis wordt omringd door een flinke lap grond. Aan de voor- en achterzijde van het huis is een grote veranda, waar het ongetwijfeld heerlijk luieren is in de zomer. Het huis wordt meestal verhuurd aan toeristen en telt maar liefst vijf slaapkamers. Ewoud heeft zijn intrek genomen in de grootste en ligt languit op het kingsize bed. Een beetje verveeld zapt hij langs de Zwitserse televisiezenders. Onverstaanbaar zijn die lui. De Duitse zenders bevallen hem beter, hoewel ook daar weinig te zien valt zo vroeg in de middag. In zijn hoofd hangt een dikke mist. De halve fles Glenfiddich die hij gisteren in zijn eentje soldaat heeft gemaakt om zijn nieuwe onderkomen te vieren, zorgde niet voor een helse kater maar wel voor een vreemd gevoel van onthechting. Alsof hij zichzelf van een afstandje kan bekijken. Alsof die vent op bed en die vent in zijn hoofd niet dezelfde persoon zijn. Die ervaring is niet nieuw, maar het feit dat de drank dat gevoel versterkt in plaats van wegneemt, is wel nieuw. Hij denkt niet dat dat gunstig is.

Ewoud steekt hoestend een sigaret op en bestudeert zijn nieuwe slaapverblijf. De ruimte is duidelijk bestemd als ouderlijke kamer. Twee nachtkastjes, twee wastafels, twee kledingkasten. De spiegels op de enorme kledingkast naast het bed hebben een dubbele functie, denkt Ewoud grinnikend terwijl hij een licht gevoel van opwinding door zijn onderbuik voelt gaan. De frisse berglucht doet zijn libido blijkbaar goed. Het zou leuk zijn om hier een meisje te hebben. Hij denkt aan Suus, dat kleine pittige, roodharige ding. De relatie met haar was helemaal niet slecht geweest. Ze was zorgzaam, lief, sexy, deed alles voor hem. Eigenlijk was ze alles wat zijn exvrouw niet was. Suus was alleen te nieuwsgierig geweest. Dat was haar grote fout.

Maar is dat eigenlijk wel zo erg? Het feit dat Suus van het geld weet, schept ook mogelijkheden. Zou ze het leuk vinden hier? Samen met hem op dit grote bed voor de grote spiegels? Alleen is ook maar alleen. Misschien zou Suus mee kunnen helpen in de skischool die hij straks gaat opzetten. Dan zou zij de administratie en de boekhouding kunnen doen, want daaraan heeft hij een broertje dood. 's Avonds zou ze lekker voor hem kunnen koken. Een vrouw zou wat sfeer kunnen creëren in dit grote, onpersoonlijke huis. En als hij straks weer een omgangsregeling heeft met zijn dochter, zou zij als een moeder kunnen fungeren. Dat zou mooi zijn. Ewoud glimlacht bij het vooruitzicht. Wat zou Suus opkijken als ze straks beseft dat hij helemaal niet de schooier is waar ze hem voor aangezien heeft. Misschien zou ze zelfs nog wel meer van hem gaan houden als hij haar een mooie toekomst zou bieden in Zwitserland.

Misschien zou hij haar dan op een dag kunnen vertellen wat er gebeurd is.

Misschien zou ze hem niet veroordelen.

Misschien zou zij hem kunnen helpen zichzelf te vergeven.

Misschien...

Ewoud kijkt naar zijn nieuwe telefoon op het nachtkastje. Hij kent haar nummer nog uit zijn hoofd. Niet zozeer door zijn interesse voor Suus, maar meer door zijn goede geheugen voor cijfers. Hij neemt een besluit. Later die dag zal hij Suus bellen, haar vertellen dat hij haar mist en zeggen dat hij graag een nieuw leven met haar wil opbouwen.

Maar eerst moet aan een kortetermijnbehoefte voldaan worden. Hij staat op van het bed, wankelt even vanwege het duizelige gevoel in zijn hoofd en grabbelt in zijn broekzak naar het kaartje van de luxe escortclub. Hij kijkt naar het stapeltje bankbiljetten op zijn nachtkastje en een stout idee welt in hem op. Twee is meer dan één. Hij toetst het nummer in.

Wanneer hij aan het eind van de middag het huis verlaat en naar het stadje wandelt om een hapje te gaan eten, denkt hij terug aan het telefoongesprek met Suus. Hij was helemaal niet nerveus. De gezellige middag met de meisjes van de escortclub had hem in precies de juiste stemming gebracht: niet te bang om afgewezen te worden en ontspannen en geduldig genoeg om haar keer op keer weer proberen te overtuigen van zijn oprechte bedoelingen met haar. Hij had zelfs gezegd dat hij van haar hield. Hij grijnst tevreden. Zijn lieve Suus had, na wat gemompel over werk en andere afspraken, toegestemd om naar Zwitserland te komen. In principe alleen voor een bezoek, maar hij hoorde aan haar stem dat hij de strijd eigenlijk al gewonnen had. Als ze nu al zo toeschietelijk is, wat moet dat dan wel niet worden als ze doorkrijgt wat voor geweldig luxeleven ze samen kunnen hebben? Hij raakt er een beetje ontroerd van. Als hij haar eenmaal hier bij zich heeft, laat hij haar nooit meer gaan, dat weet hij zeker. Hij gooit de aan Suus geadresseerde envelop met zijn huissleutels in de brievenbus bij het postkantoor en neemt een hijs van zijn sigaret. Ewoud prijst zichzelf gelukkig dat hij de tegenwoordigheid van geest had om Suus te vragen nog wat vergeten documenten over de voogdijzaak voor hem uit zijn Nederlandse woning op te halen. Als ze de nagekomen post ook nog voor hem mee naar Zwitserland neemt, is dat ook weer mooi geregeld.

Wanneer hij in het restaurant een flinke biefstuk naar binnen werkt, bedenkt hij dat hij een betere auto nodig heeft. Als hij Suus van het vliegveld op moet halen met dat tweedehandsbarrel waar hij nu mee rondrijdt, zou ze nooit geloven dat de tijden definitief veranderd zijn. De eerste indruk is van doorslaggevend belang. Hij heeft het geld. Waarom zou hij niet? Een ondernemer heeft een goede auto nodig met de juiste uitstraling. In zijn geval sportief, betrouwbaar, snel.

Een tevreden glimlach verschijnt op zijn lippen. Hij ziet de auto al helemaal voor zich. Het gaat eindelijk weer de goede kant op met zijn leven.

47

Het was de ramp van het jaar. De botsing van de vliegtuigen zo kort voor kerst domineerde wekenlang het nieuws. Iedereen zocht naar verklaringen voor hoe het in godsnaam mogelijk was dat twee vliegtuigen in dat enorme luchtruim tegen elkaar aan vlogen. En toch gebeurde het. Een vrachtvliegtuig botste hoog in de lucht tegen de lijnvlucht naar Madrid waar mijn dierbaren in zaten.

Het lot wilde dat de passagiers in het staartstuk uit het vliegtuig gekatapulteerd werden. Hun lichamen kwamen neer op wegen, velden en paden. De val van mijn zoon Alexander werd gebroken door een hoge eikenboom. Zijn lichaam kon relatief ongeschonden begraven worden. Ik mocht hem nog zien en zijn mooiste kleding aantrekken. Als je niet te veel op wonden, plekken en schrammen lette, zou je bijna kunnen denken dat hij rustig aan het slapen was. De lieve gezichten van mijn dochter Sophie en mijn vrouw

Natasja heb ik nooit meer kunnen zien. Hun kisten waren vergrendeld, ze waren geïdentificeerd aan de hand van hun gebit.

Op de begrafenis liet ik 'Air' van Bach spelen. Later hoorde ik dat sommige mensen dit als een buitengewoon morbide keuze beschouwden en er achteraf de voorbode van mijn naderende gekte in zagen. Maar wat kon ik anders? Het was de lievelingsmuziek van Natasja, prachtig en puur als zijzelf. Ik probeerde te geloven dat het ongeluk hen verrast had en dat ze niet beseften wat hun overkwam. Dat ze op slag dood waren door de ontploffing. Maar vooral in het geval van Alexander heb ik daar mijn twijfels over. Mijn lieve kind is uit de hemel komen vallen. Wat dacht hij toen hij besefte wat zijn lot zou zijn? Dacht hij aan mij? Dacht hij aan de mooie momenten uit zijn veel te korte leven? Of werd hij verteerd door een afgrijselijke angst die mijn voorstellingsvermogen te boven gaat? Die laatste gedachte verscheurt me. Ik ga er kapot aan. Ik word van binnenuit opgevreten totdat er niets meer over is.

48

Lisa

Het zweet breekt Lisa uit. Ze ademt snel en oppervlakkig. Af en toe ontsnapt een piepend geluid aan haar keel. Ze snakt naar zuurstof, maar het lukt haar niet om haar ademhaling onder controle te krijgen. Haar borstkas beweegt gejaagd op en neer. De omgeving vervaagt, wordt steeds donkerder. Ik ga flauwvallen, beseft ze.

Maar dan is daar Anna's rustige stem, dicht bij haar oor. 'Adem in, adem uit. Adem rustig in, blaas langzaam uit.'

Lisa probeert in te ademen, maar het is alsof ze het verleerd is. Er komt geen zuurstof binnen. Anna's arm klemt zich stevig om haar vast, zodat ze amper nog kan bewegen. 'Mond open en longen volzuigen,' beveelt ze. Lisa opent haar mond, een gierend geluid ontsnapt. Dan is het alsof er plotseling een barrière openbreekt en stromen haar longen weer vol met zuurstof. Opgelucht laat Lisa zich tegen Anna aan vallen. Een druppel zweet glijdt van haar neus. 'Ik dacht dat ik ging stikken,' zegt ze zacht.

'Het was hyperventilatie,' antwoordt Anna. 'Het is weer goed nu. Rustig maar.'

Angstig kijkt Lisa naar de donkere gestalte op de trap. Plotseling is haar alles duidelijk. Hun belager had het over de vlucht van 10 december naar Madrid. Gespannen wacht ze af op wat komen gaat.

Zijn stem klinkt zacht. 'Kun je je voorstellen hoe het is als je gezin verliest, Lisa?'

Met grote, betraande ogen kijkt Lisa hem aan.

Hij wacht niet op haar antwoord. 'Pas op dat moment weet je wat het allerbelangrijkste is in je leven. Als die lieve, onschuldige wezentjes het leven ontnomen wordt dat je hun gegeven hebt.' Hij verheft zijn stem: 'Je kunt niet, mag niet, achteloos omgaan met mensenlevens.' Hij dempt zijn volume weer. 'Toen ik mijn vrouw en kinderen verloor, dacht ik dat niets meer zin had. Ik stopte met mijn werk, verbrak al mijn contacten. Na maanden afgeweerd te zijn, gaven de meeste vrienden het op. Ik ben dan ook geen gemakkelijke weduwnaar. Ik wil niets. Ik wil niet praten, wandelen, werken of wat dan ook dat goed zou zijn om mijn verdriet te kunnen verwerken.'

Even is het stil. Lisa hoort alleen het bonken van haar hart. Dan doorbreekt zijn stem de stilte weer.

'Van verwerken is namelijk geen sprake. Hoe zou ik dat kunnen? Wie is in staat om de dood van zijn vrouw en kinderen te verwerken? Dat is onmogelijk. Dat weet iedereen. Mensen probeerden me te overtuigen dat het leven nog zin heeft, maar ik hoorde aan de haperingen in hun stem dat ze

dat zelf eigenlijk ook niet geloofden. Ze durfden waarschijnlijk niet eens echt stil te staan bij wat mij overkomen is uit
angst de demonen die mij achtervolgen zelf ook op te roepen. Ik vertegenwoordig hun allergrootste schrikbeeld. Het
is beter om niet met mij geconfronteerd te worden.' Victor
pauzeert even. 'Ik trok me terug en begon overdag te slapen.
's Nachts was ik wakker en dacht ik na. Waarom trof God
mij zo hard? Waaraan had ik dit te danken? Natuurlijk had
ik het nooit moeten aanleggen met die harteloze mannen-
verslinder daar.' Hij wijst met een minachtend gezicht naar
Anna, die met hevige koortsblossen op haar wangen zit te
bibberen in een hoekje, en dempt zijn stem weer. 'Maar mijn
bedoelingen met haar waren oprecht, terwijl zij harteloos
met mijn leven speelde door zich aan mijn vrouw voor te
stellen als mevrouw Victor. Onvergeeflijk was dat.'

'Het spijt me,' zegt Anna, terwijl de tranen over haar gezicht rollen. 'Ik had dat nooit mogen doen. Het spijt me echt,
Victor.'

Hij kijkt haar even nadenkend aan en draait dan zijn
hoofd naar Lisa. 'Ook jij weet inmiddels waarom jij hier
bent, neem ik aan?'

'De eh… schadevergoeding,' stamelt Lisa.

Victor verheft zijn stem weer en wijst naar Lisa. Zijn ogen
schieten vuur. 'Een gezin is het waardevolste bezit dat je
hebt. Besef je dat wel, mevrouw Van Ostade? Daar kan geen
geld tegenop.'

Lisa weet niet hoe ze moet reageren.

Hij schudt zijn hoofd. 'Vijfentwintigduizend euro per persoon. Schandalig! De levens van mijn kinderen en vrouw zijn slechts vijfentwintigduizend euro waard. Dat je het in je domme hoofd durft te halen om zo'n absurd laag bedrag te bieden. Ik zou me dood schamen voor zo'n bod, maar jij loopt gewoon lekker rond te paraderen en de lakens uit te delen alsof er helemaal niets aan de hand is. Ik ben nog nooit zo diep beledigd!'

'Maar... dit is slechts een voorlopige schadevergoeding. De zaak over de schuldvraag loopt nog en...'

'Bek houden!' kapt hij haar af. 'Weet je wat me nog het allermeeste kwetst? Dat niemand zich geroepen voelt om excuses aan te bieden. Iedereen probeert de schuld af te schuiven en wijst naar elkaar.'

'Maar wij hebben bewijs dat de schuld bij de luchtverkeersleiding ligt,' probeert Lisa weer.

'Ja, ik heb je gehoord op je aandeelhoudersvergadering,' zegt Victor.

Plotseling weet ze weer waar ze zijn stem eerder heeft gehoord. Hij was de man die haar hielp met de microfoon. Lisa rilt als ze beseft dat hij al die tijd misschien wel heel dichtbij was. Hij heeft op haar gejaagd als een roofdier op zijn prooi. Geduldig en genadeloos.

'Maar de luchtverkeersleiding beweert dat de schuld bij de leverancier van de radarapparatuur ligt. En weet je wat, mevrouw de luchtvaartdirecteur? Dat radarbedrijf geeft het waarschuwingssysteem in jullie vliegtuig weer de schuld of anders wel de monteurs die dat systeem fout hebben gemonteerd. Of de piloten! Of het slechte weer! Voordat ze er ooit eens een keer uit zijn, zijn we jaren verder. En ik zou godverdomme willen dat iemand onderhand eens excuses aanbiedt.'

Lisa ziet dat er tranen in zijn ogen glinsteren.

'Waarom zegt er niemand sorry tegen me?' zegt hij wat zachter.

'Het spijt me dat je je gezin bent verloren,' zegt Lisa zo kalm mogelijk. 'Zo'n ongeluk is het allerergste wat er kan gebeuren. Ook voor een luchtvaartmaatschappij. Wij hebben toen ook mensen verloren. Daar hebben we veel verdriet van.' Lisa merkt dat Victor naar haar luistert. Ze moet nu toeslaan. 'Het punt is, Victor, dat wij niet schuldig zijn. We hebben alles grondig onderzocht en weten inmiddels honderd procent zeker dat het niet aan de piloot of aan het toestel lag. Je moet me geloven. Het kan niet anders dan dat de luchtverkeersleiding een fout heeft gemaakt en te laat heeft gewaarschuwd dat de vliegtuigen op dezelfde hoogte vlogen. Zij zijn de schuldigen.'

Victor is op de trap gaan zitten. Zijn hoofd steunt in zijn handen en hij kijkt naar de grond.

Lisa legt al haar overtuigingskracht in haar stem als ze verder praat. 'Victor, we weten nu zeker dat er die avond grote fouten zijn gemaakt door de dienstdoende luchtverkeersleider. We vinden steeds meer bewijsmateriaal, het net sluit zich langzaam maar zeker. Maar het probleem is dat de directeur van de luchtverkeersleiding het koste wat kost niet wil toegeven. Zijn organisatie krijgt een enorme dreun als alle schadeclaims van de slachtoffers moeten worden uitbetaald. Wij hebben uit piëteit besloten om een voorlopige schadevergoeding aan je uit te keren, maar die vergoeding gaan we straks verhalen op de werkelijke schuldigen: de luchtverkeersleiding. Het is een juridisch steekspel, Victor. Het spijt me vreselijk dat je het gevoel hebt dat het leven van jouw vrouw en kinderen voor ons zo weinig waard is. Dat is niet zo. Ik weet hoe waardevol een gezin is.' Ze pauzeert even. 'En na wat er de laatste tijd allemaal gebeurd is, zal ik het zeker nooit meer vergeten.'

Lisa wacht op Victors reactie, maar het blijft minutenlang stil. Hij zit daar maar en kijkt naar de grond. Lisa durft niets te zeggen, niet te bewegen.

'Godverdomme!' vloekt Victor dan. Hij springt op, schopt tegen de deur en beent naar buiten. De deur valt met een klap dicht.

Lisa kijkt in Anna's bange, holle ogen. Wat gaat er nu gebeuren? Lisa verzinkt in gedachten, ondertussen dwangmatig de vochtige haren strelend van Anna, die hevig klappertandend onder de vieze deken is gaan liggen.

Wanneer na een tijd de deur piepend opengaat, kijkt Lisa met toegeknepen ogen op. Een fel licht schijnt naar binnen en als haar ogen een beetje gewend zijn, onderscheidt ze een kleine, roodharige vrouw. Wanneer de vrouw hen ziet, slaakt ze een gil en verdwijnt weer. Anna mompelt wat in haar koortsdroom.

Dan verschijnt de vrouw met het rode haar weer in de deuropening. 'Wie zijn jullie?' vraagt ze met een bibberig stemmetje.

Lisa schraapt haar keel. 'Wij zijn Lisa van Ostade en Anna de Wit. We zijn ontvoerd. We zitten hier al een paar dagen.'

Het blijft even stil.

'Wie ben jij?' vraagt Lisa dan.

'Ik ben Suus. Ik kom wat spullen ophalen voor Ewoud.'

49

Ewoud

Ewoud trapt het gaspedaal van zijn nieuwe auto wat verder in. De zwarte Jaguar zweeft bijna geluidloos over de Duitse snelweg. Wanneer de snelheidsmeter moeiteloos de honderdtachtig kilometer per uur overschrijdt, voelt hij zich de koning te rijk. Hij denkt terug aan de vakanties met zijn ouders vroeger. Zijn welgestelde maar toch enorm gierige pa had een stokoude Renault en reed om benzine te besparen altijd tergend langzaam op de rechterstrook van de snelweg, meestal in de slipstream van een vrachtwagen. Als zijn vader dan eindelijk besloot om een inhaalmanoevre uit te voeren, was zijn timing meestal zo beroerd dat de auto's op de linkerbaan op de rem moesten. Hij ging er echter geen kilometer harder door rijden en tufte vrolijk verder totdat hij de lange rij vrachtwagens had ingehaald. Van getoeter en lichtsignalen trok hij zich niets aan. Ewoud schaamde zich dood. Hij zag de spottende en minachtende blikken van de andere bestuurders en nam zich voor om, als hij groot was, in een snelle, dure wagen te gaan rijden. Het liefst met zo'n beeldschone dame met modieuze zonnebril op naast zich. Maar toen kwam Fleur en zij eiste de aanschaf van een betaalbare gezinsauto. Hij moest inbinden, maar zodra hij alleen in hun degelijke stationcar zat, trapte hij het gaspedaal tot de bodem in en kon hij zich heel even vrij voelen.

Ewoud kijkt in het spiegeltje van zijn droomauto, die hij zo goed als nieuw heeft kunnen overnemen van een Zwitserse zakenman. Zeker weten dat hij er cool uitziet in zijn nieuwe donkergrijze pak en zijden overhemd en met zijn dure zonnebril. Suus zal niet weten wat ze ziet.

Het zenuwachtige kriebeltje dat hij eerder in zijn maagstreek voelde, keert weer terug. Het telefoontje dat hij van zijn vriendin kreeg, was een beetje vreemd verlopen. Ze klonk anders, een beetje angstig zelfs. Ze had hem verteld dat hij onmiddellijk naar Nederland moest komen omdat er dagvaardingen van de rechtbank op zijn deurmat lagen en hij dringend een aantal financiële zaken moest afhandelen. Na wat tegensputteren had hij besloten om toch maar te gaan. Als de boel in Nederland eenmaal afgehandeld was en de huurschulden betaald waren, kon hij pas echt met zijn nieuwe leven beginnen. Bovendien zou hij meteen zijn nieuwe wagen kunnen testen op de Duitse snelwegen en Suus mee terug kunnen nemen naar haar nieuwe huis en land.

Hij werpt een blik in de achteruitkijkspiegel en ziet een sportwagen naderen. 'No *way* dat jij mij gaat passeren,' fluistert hij en met een grimmige glimlach trapt hij het gaspedaal helemaal in. De Jaguar schiet vooruit.

Wanneer hij de Nederlandse grens passeert en zijn snelheid laat zakken, voelt hij de kriebel weer in zijn buik terugkeren. Hij heeft helemaal geen trek om terug te gaan naar de dingen die hem herinneren aan het armzalige leven dat hij achterliet. Luxe went snel, beseft hij.

Wanneer hij anderhalf uur later de achterstandsbuurt inrijdt waar hij een paar jaar van zijn leven verspild heeft, ziet hij de mensen bewonderend naar zijn Jaguar kijken. Zo'n droomauto zien ze hier zelden. Een gevoel van trots overvalt hem.

Zijn oude straat komt op hem nog troostelozer over dan vroeger. Stapvoets rijdt hij verder. Over een paar honderd meter is hij bij zijn huis. Hij voelt zich onrustig. 'Kalm aan, Ewoud,' spreekt hij zichzelf toe en hij slaat af naar het smerige parkeerterreintje bij de buurtsuper. Als hij zijn auto heeft geparkeerd, stapt hij uit en denkt na. Waarom deed Suus eigenlijk zo eigenaardig aan de telefoon?

'Mooie auto, meneer,' zegt iemand.

Ewoud kijkt op en ziet een man van een jaar of veertig voor zich staan.

'Welk type is het?' vraagt de man.

'Een XJ Luxury,' zegt Ewoud trots.

'Prachtig!' zegt de man duidelijk onder de indruk, waarna hij om de wagen loopt en goedkeurende geluiden maakt. 'Ik hoop dat u me niet onbeleefd vindt, maar zou ik het interieur even mogen bekijken?' vraagt hij terwijl hij naar het nog openstaande portier knikt.

Verstoord kijkt Ewoud de man aan en maakt dan een uitnodigend gebaar. 'Eventjes dan, ik heb haast.'

Tot zijn ontsteltenis neemt de man plaats op de bestuurdersstoel, draait aan het stuur en begint geluiden te maken alsof hij meedoet aan een autorace. Wat is dit voor rare vogel, denkt Ewoud geërgerd. Dat heeft hij weer. Hij kijkt het even aan, maar als de man ook nog aan de knopjes op het dashboard begint te frunniken, wordt het hem te gortig.

'Meneer, ik moet nu weg.'

'Natuurlijk, goed, ik kom eruit.' De man stapt met duidelijke tegenzin uit, bedankt hem en verdwijnt. Ewoud steekt een sigaret op en begint naar zijn huis te lopen. Hij gaat zijn meisje eindelijk weer terugzien. Een politieauto passeert en slaat zijn straat in. Wanneer Ewoud zijn huis tot op zo'n honderd meter genaderd is, ziet hij dat de voordeur geopend wordt en dat er man van middelbare leeftijd met grijzend haar naar buiten komt. Ewoud duikt weg achter een geparkeerde roestbruine Ford en kijkt toe. De man stapt in een lichtgrijze auto en rijdt weg. Ewoud is verbijsterd. Wie was dat? En wat deed hij in zijn huis? Gespannen blijft Ewoud kijken. Er is geen beweging meer bij zijn huis. Zijn oog valt op het gangetje dat naar de achterkant van de huizen leidt. Natuurlijk! Gebogen schiet hij het gangetje in en behoedzaam loopt hij naar de achterkant van zijn huis. Voorzichtig voelt hij aan de klink van de afgebladderde groene poort, maar die is op slot. De sleutel ervan heeft hij niet bij zich. Hij zal moeten klimmen. Beteuterd kijkt hij naar zijn gloednieuwe pak. Aan het einde van het gangetje ontwaart hij een plastic emmer. Hij gaat erheen, giet het smerige, bruingekleurde water eruit en loopt terug naar de poort. Als hij op de omgekeerde emmer gaat staan, kan hij net over de schutting kijken. Hij tuurt naar de achterkant van zijn huis. De tuin ligt nog steeds vol met troep: pallets, een oude wc-pot, wat oud ijzer, precies zoals hij het achtergelaten had. Hij tuurt naar het raam van de woonkamer. Vanwege de reflectie van de zon in het vieze raam ziet hij amper wat.

Op dat moment gaat de achterdeur open. 'Suus!' wil hij roepen, maar dan ziet hij dat het iemand anders is: een struise blonde politieagente. Meteen daarna komt een wat kleinere, roodharige man naar buiten, eveneens in politie-uniform. Ze lachen en steken een sigaret op.

Zo stilletjes mogelijk stapt Ewoud van de emmer af en sluipt door het gangetje naar de straat terug. Daar aangekomen wandelt hij zo nonchalant mogelijk naar het parkeerterreintje. Als hij weer in zijn auto zit, haalt hij diep adem. De straat is eenrichtingsverkeer en hij zal langs zijn eigen huis moeten. Verdomme! Ewouds handen trillen hevig wanneer hij zijn zonnebril opzet, de motor start en wegrijdt. Er staat een blauwe Opel voor zijn huis. De agent die erin zit, kijkt even op als de Jaguar voorbijrijdt maar leest dan weer verder in zijn krant, ziet Ewoud in zijn spiegel.

Wanneer hij de straat uit is, geeft Ewoud gas en kiest de kortste route naar de snelweg.

50

Anna

De tranen blijven maar komen. Zal ze ooit nog kunnen stoppen met huilen? Maria streelt haar rug. Wanneer Anna haar zus aankijkt, komen de tranen weer. 'Het spijt me zo, Maria! Het was een opwelling. Ik dacht niet na. Ik voelde me alleen en Laurens ken ik al zo lang... Het was niet de bedoeling. Het was per ongeluk, een verachtelijk automatisme dat ik in me heb. Laurens wilde het ook niet. Hij houdt van jou, Maria. Zielsveel. En ik ook. Ik zal je nooit, echt nooit meer kwetsen. Jij bent de allerbelangrijkste persoon voor me. Mijn enige familie.'

'Dat is niet helemaal waar, zusje,' zegt Maria zacht.

Verbaasd kijkt Anna haar aan.

'Mama wil ook graag bij je op ziekenbezoek komen.'

'Mama?' reageert Anna verrast. 'Wil ze echt...?'

Maria knikt. 'Ik denk dat ze door de ontvoering inzag dat ze je voorgoed had kunnen kwijtraken. Ze kan het niet verdragen om nog iemand te verliezen. En ik ook niet, Anna. We moeten koesteren wat we hebben. Misschien is dat soms heel erg moeilijk, maar na al deze gebeurtenissen denk ik dat het belangrijk is dat we kunnen vergeven.'

'Dus je vergeeft me?'

Maria knikt. 'En morgen komt mama mee op bezoek.'

Intens dankbaar kijkt Anna haar zus aan. Ze krijgt een tweede kans. Gelukkiger dan op dit moment heeft ze zich nog nooit gevoeld.

'Ik ga even een vaas aan de verpleegster vragen,' zegt Maria even later en verdwijnt uit de krappe eenpersoonsziekenhuiskamer.

Anna staart voor zich uit en denkt terug aan de bevrijding uit de kelder van wat een verwaarloosd vooroorlogs huis in een achterbuurt bleek te zijn. Ze weet niet alle details meer, want kort nadat de roodharige vrouw was verschenen, was ze ingestort en met loeiende sirene afgevoerd naar het ziekenhuis. Ze had hoge koorts. De arts had haar verteld dat ze het vermoedelijk niet overleefd had als haar opsluiting nog langer had geduurd. Ze had dood kunnen gaan daar op die vreselijke plek.

Gelukkig slaan de medicijnen aan, hoewel het volgens de arts nog lang zal duren voordat ze helemaal de oude zal zijn. Ze merkt dat ze dat idee niet eens zo vreselijk vindt. Als ze nu meteen weer aan het werk zou gaan, zou ze in oude patronen vervallen en dat is het laatste wat ze wil. Zo heeft ze zich voorgenomen om eindelijk te vertrekken bij Frank en haar eigen architectenbureau te beginnen, zodat ze zelf kan bepalen welke opdrachten ze aanneemt en hoeveel uren ze werkt. Minder reizen is een ander voornemen.

Die ochtend was Lisa bij haar op bezoek geweest. Geëmotioneerd vertelde die haar dat haar zoon Henry al die tijd gewoon thuis was geweest. Victor had hem achtergelaten in het bos naast hun huis en nadat hij zichzelf had weten te bevrijden had haar zoon alarm geslagen. Tot Anna's verbijstering vertelde Lisa daarna dat de deur van de kelder niet meer op slot was geweest toen de roodharige vrouw Anna had horen hoesten en op onderzoek was uitgegaan. Ze hadden kunnen ontsnappen.

'Misschien hebben we ons leven gered door de goede dingen op het juiste moment te zeggen,' opperde Lisa. 'Maar weet je welke gedachte door mijn hoofd blijft gaan? Misschien is het nooit zijn bedoeling geweest om ons te doden. Misschien wilde hij alleen maar dat wij de vernedering voelden die hij zelf ook ervaren heeft. Ons een lesje leren. Straffen.' Ze zweeg even. 'En erkenning van zijn verdriet. Begrip. Een spijtbetuiging.' Ze zuchtte diep. Het viel Anna op dat ze er oud uitzag.

'Victor is een eenzame, verwarde man, die zich geen raad weet met zijn enorme verdriet...' Lisa keek haar indringend aan. 'En met zijn eigen gevoelens van schuld,' zei ze zacht. Anna ontweek haar blik. Ze wist dat Lisa doelde op de verkrachting maar haar schaamte was nog te groot. Zou ze het ooit kunnen vergeten?

'Hebben ze hem gevonden?' vroeg ze.

'Nee, hij is spoorloos verdwenen.'

'En dat huis waar we gevangen werden gehouden, was dat zijn huis?'

Lisa schudde haar hoofd. 'Dat is het frappante. Hou je vast. Dat huis staat op naam van een voormalige luchtverkeersleider. Zijn naam is Ewoud de Vries. En weet je wat?'

'Vertel...'

'Ewoud is ook de man die ons gered heeft toen wij met de auto in het water terecht zijn gekomen.'

Onthutst keek Anna haar vriendin aan. 'Wat vreemd. Is dat niet heel toevallig?'

'Ik denk het niet. Victor heeft eigenaardige spelletjes met ons gespeeld.'

'Waar is Ewoud nu?' vroeg Anna.

'Dat weet niemand. Wat ik inmiddels wel weet is dat hij direct na het vliegtuigongeluk op 10 december ontslag heeft genomen.'

Anna sloeg verschrikt haar hand voor haar mond. 'Zou hij...?'

Lisa knikte. 'Ik denk dat Ewoud heel erg op zijn hoede moet zijn.'

51

Natuurlijk had ik die klootzak van een Ewoud de Vries al langer in het vizier. Ik ben niet achterlijk. Hoe meer ze met de beschuldigende vinger naar de anderen wezen, hoe meer ik ervan overtuigd raakte dat ik juist bij de luchtverkeersleiding de echte moordenaar zou vinden. En ik vond hem. De verantwoordelijke luchtverkeersleider die avond, Van Schie, hoorde een paar maanden na het ongeluk dat hij een ongeneeslijke vorm van kanker had. Ik bezocht hem op zijn sterfbed en vertelde hem mijn verhaal.

Mensen die gaan sterven willen graag hun geweten zuiveren. Wist je dat?

Tegen die tijd had ik mijn vertrouwen in de rechtsstaat al lang verloren. Er werden smerige juridische spelletjes gespeeld. Niemand nam zijn verantwoordelijkheid. Niemand bood excuses aan. De ware schuldigen zouden hun straf ontlopen. Ik besloot het heft in handen te nemen.

52

Ewoud

Een irritant terugkerend geluid dringt tot hem door. Het duurt even voordat hij beseft dat het de deurbel is. 'Rot op,' mompelt Ewoud en hij sluit zijn vermoeide ogen. Daar hoort hij het weer. En weer. 'Laat me met rust,' kreunt hij. Ewoud stopt zijn vingers in zijn oren, maar ook dan blijft hij het aanhoudende bellen horen. Zijn hoofd bonkt. Welke idioot belt op dit tijdstip aan, denkt hij, maar als hij op zijn horloge kijkt ziet hij dat het al elf uur in de ochtend is. Met onge-coördineerde bewegingen graait hij naar de broek die hij de avond daarvoor op de grond heeft laten vallen en trekt hem aan. Een pijnscheut schiet door zijn onderrug. Hij vindt een overhemd en wankelt naar de voordeur terwijl hij de fijne knoopjes probeert te sluiten. Het lukt niet. Zijn handen trillen te erg. De bel klinkt weer.

'Waarom drink ik toch altijd zoveel?' verzucht hij. Als hij zich niet vergist, heeft hij gisteravond na zijn terugkeer in

Zwitserland driekwart fles schnaps geleegd voordat hij buiten westen is geraakt. Het enige wat nog helpt tegen dat getril van zijn handen is de rest van de fles.

Met een geïrriteerde ruk opent hij de voordeur. Voor hem staat een donkerblonde man van gemiddelde lengte met een breed gezicht en blauwe ogen. De man glimlacht vriendelijk. Hij heeft sterk het gevoel hem eerder te hebben gezien, maar het dringt nog niet tot hem door waar.

'*Was wollen Sie?*' bromt Ewoud terwijl hij zich afvraagt of hij niet eigenlijk '*Was möchten Sie?*' had moeten zeggen. Hij was op school nooit een ster in Duits geweest en met het Zwitsers kan hij al helemaal niet uit de voeten.

'U kunt Nederlands met me praten, hoor. Dat kan ik intussen wel mijn tweede moedertaal noemen.'

Ewoud krabt achter zijn oren. Waar heeft hij dat accent eerder gehoord? Het was niet zo lang geleden, maar waar? Peinzend kijkt hij zijn bezoeker aan. Dan schiet het hem te binnen. Het is die idioot die zijn auto bewonderd had op de parkeerplaats in zijn oude straat. Wat doet deze man in godsnaam hier? Heeft hij hem gevolgd?

'Heb ik u niet eerder gezien?' vraagt Ewoud verward.

'Jazeker,' antwoordt de man vriendelijk glimlachend.

'Wat doet u hier? Woont u ook in dit stadje?'

'Nee, ik verblijf hier tijdelijk. Ik woon in Nederland. Al twaalf jaar inmiddels. Maar ik kom oorspronkelijk uit Wit-Rusland. Kunt u dat nog aan me horen?' De man kijkt hem doordringend aan.

Ewoud probeert zijn hoofd weer helder te krijgen. Wat gebeurt hier? 'Uw Nederlands is uitstekend,' antwoordt hij. Irritatie borrelt in hem op. Wat een belachelijk gesprek. Is hij hiervoor wakker gemaakt? 'Maar nu zou ik graag van u willen weten wat u hier komt doen,' zegt hij bars.

'Ik wil u een foto laten zien van mijn gezin.' De man grabbelt in de zak van zijn verfomfaaide jasje en haalt er een gekreukelde foto uit die hij even langs zijn wang strijkt voordat hij hem voor Ewouds gezicht houdt. 'Dit is mijn vrouw Natasja. En dat zijn mijn zoon Alexander en dochter Sophie.'

Ewoud werpt een vluchtige blik op het familiekiekje: mooie blonde vrouw in het midden, aan elke kant een verlegen lachend kind. Zijn ogen dwalen af naar het besneeuwde grasveld voor zijn huis. Zijn domein. De makelaar vertelde dat er in de zomer klaprozen en korenbloemen groeien. Anouk zal het hier prachtig vinden. Dan keert zijn blik weer terug naar zijn eigenaardige bezoeker. 'Leuk gezin heeft u,' zegt hij omdat hij beseft dat hij nog moet reageren op de foto.

'Ik moet u corrigeren. U moet zeggen: leuk gezin hád u. We hebben het over de verleden tijd, namelijk.'

'O...' zegt Ewoud aarzelend. Zijn hart slaat over.

'U vroeg wat ik hier kwam doen. Nou... misschien zou u kunnen beginnen met excuses aanbieden.'

Beduusd kijkt Ewoud de man aan. 'Wat bedoelt u?'

'Zegt de datum 10 december u iets?'

Ewouds mond valt open.

'Ja, daar schrikt u van, hè?'

Ewoud voelt het bloed uit zijn gezicht wegtrekken en grijpt

zich vast aan de deurstijl. Iets in hem zegt hem te vluchten, maar zijn voeten lijken vastgenageld aan de grond.

'10 december is de dag waarop u mijn gezin hebt vermoord. En niet te vergeten de bemanning van beide vliegtuigen en de andere passagiers.' De beleefde glimlach is van het gezicht van de man verdwenen en hij kijkt hem met priemende ogen aan. 'Ik heb me vaak afgevraagd hoe het voelt om 157 mensen om het leven gebracht te hebben. Ik dacht altijd: zo iemand moet haast wel verteerd worden door schuldgevoel. Die heeft geen leven meer. Dat is onbestaanbaar! Onmogelijk! Maar als ik hier zo om me heen kijk, dan denk ik dat het u best goed gaat.' De man gebaart naar het grote huis en de Jaguar op de oprit. 'Kon u toch niet van het geld afblijven? Was het bloed van 157 mensen onvoldoende om uw inhalige aard te beheersen?' De man strijkt de foto van zijn gezin weer langs zijn wang en stopt hem dan in zijn jaszak.

'Hoe eh… hebt u mij gevonden?' stamelt Ewoud.

'Laten we elkaar tutoyeren. Noem mij maar Victor,' zegt de man. 'Dat praat makkelijker.'

Ewoud geeft geen antwoord en kijkt hem argwanend aan.

'Het was best een beetje lastig om je te vinden,' antwoordt de man. 'Maar een van je collega's was me behulpzaam. Van Schie, herinner je je hem nog?'

Ewoud knikt.

'Hij is dood. Overleden aan een agressieve en pijnlijke vorm van kanker. Gelukkig wilde hij zijn hart luchten kort voordat hij stierf. Hij vertelde me dat niet híj maar jíj die nacht dienst had.' Met ogen die vuur schieten kijkt Victor hem aan.

Ewoud gaat in gedachten terug naar die fatale avond twee jaar geleden in december. Er heerste een griepgolf en de ene na de andere collega in het Area Control Center meldde zich ziek. Tijdens de diensten moesten ze roeien met de riemen die ze hadden, extra uren draaien en veel meer vluchten begeleiden dan verantwoord was. Het was ondoenlijk. Als Ewoud klaar was met werken, was hij doodmoe. Bovendien was zijn leven in een puinhoop veranderd. Hij was zwaar aangedaan door de scheiding van Fleur vanwege een onbeduidend slippertje en het getouwtrek om Anouk was begonnen. Fleur ontpopte zich als een verbitterde heks die er alles aan deed om hem kapot te maken en Ewoud begon te beseffen dat hij zijn dochter wel eens voorgoed zou kunnen gaan verliezen. Om stoom af te blazen dronk hij. Niet af en toe een klein beetje, maar veel en vaak. Niemand op het werk wist van zijn problemen. Niemand mocht het weten, want een zwaar drinkende luchtverkeersleider was natuurlijk ondenkbaar. Op 9 december had hij na een lange, dubbele dienst ontspanning gezocht in de kroeg. Hij zat er de hele nacht en was pas tegen halfvijf in de ochtend naar huis gegaan. Toen hij enkele minuten sliep, werd hij gebeld door de hoogste baas, Van der Kamp zelf. Degenen die de dienst van zes uur zouden draaien, hadden zich beiden ziek gemeld en Van der Kamp zat met zijn handen in het haar. Hij smeekte Ewoud om de dienst over te nemen en beloofde hem dat hij zelf ook zo snel mogelijk naar het Air Control Center zou komen om hem te assisteren. Ewoud sleepte zich stomdronken onder de koude douche, dronk drie bakken sterke koffie en reed naar het vliegveld. Onderweg schampte hij een lantaarnpaal en een schutting. Hij had nooit mogen gaan werken.

Schuldbewust kijkt Ewoud in de blauwe ogen van Victor. Een man die zijn gezin verloren heeft. Door zijn schuld. Zijn maag keert zich om.

'Direct na het ongeluk verdween je. Je baas zei tegen iedereen dat je ontslag had genomen om een eigen bedrijf te beginnen in het buitenland. Niemand wist waar je was. Wat een stelletje sukkels. Ik had je zo gevonden in die achterbuurt. Je was niet eens uit de stad vertrokken. Daar zal je baas vast niet blij mee zijn geweest.' Victor kijkt hem peinzend aan. 'Toch besloot ik je nog even met rust te laten. Je was zelf al druk bezig om je leven te ruïneren. Bovendien raakte je het zwijggeld niet aan. Dat sprak in je voordeel. Wat kleine, onschuldige pesterijtjes waren voldoende om je iedere keer weer uit je balans te brengen.' Hij neuriet een liedje.

'*I've got to leave this town*,' herkent Ewoud. Victor kijkt hem glimlachend aan. 'Jij dacht natuurlijk dat Van der Kamp je zat op te jagen. Ik vond het wel grappig om jullie verhouding op scherp te zetten. Je had me wel even te pakken toen je van de ene op de andere dag verdwenen was. Gelukkig bleek je een mooie, diepe kelder in je huis te hebben die ik voor andere doeleinden kon gebruiken.' Victor zwijgt even. De spottende blik in zijn ogen heeft plaatsgemaakt voor verdriet. 'Was het te voorkomen geweest?' vraagt hij.

Een intense vermoeidheid overvalt Ewoud. Hij weet dat er

maar één juist antwoord is. Twee jaar lang is hij op de vlucht geweest. Twee jaar lang heeft hij geprobeerd de herinnering met veel drank weg te spoelen, zijn verantwoordelijkheid te ontkennen. Geen kranten gelezen, geen nieuws gekeken, wanhopig geprobeerd in de illusie te leven dat er niets gebeurd was. Maar zijn onderbewuste vergat het niet. Iedere nacht zag hij in zijn warrige dromen lange rijen mensen met beschuldigende ogen. Daar was geen alcohol tegen opgewassen.

Van der Kamp kwam te laat. Ewoud was zeker een halfuur alleen aan het werk geweest. Monteurs verrichtten onderhoudswerkzaamheden waardoor de apparatuur trager reageerde dan anders. Zijn andere, zwaar overbelaste collega's, onder wie Van Schie, hadden het veel te druk om hem ook nog bij te staan. Het radarscherm werkte hypnotiserend op zijn dronken gemoed. De stipjes die de vliegtuigen hoog in het Nederlandse luchtruim aangaven, speelden verstoppertje met hem. Ze vervaagden, verdwenen en doken dan plotseling weer op. Ewoud kon zich niet concentreren, zijn hersenen legden geen verbanden meer, zijn ogen registreerden niet meer. En hij vergat het allerbelangrijkste: dat die kleine stipjes op het scherm vliegtuigen vol onschuldige mensen vertegenwoordigden van wie het lot in zijn handen lag. Hij gleed weg, schrok weer wakker, gleed weer weg, schrok weer wakker. Hij zonk steeds dieper weg, balancerend op de rand van een comateuze dronkenmansslaap.

Toen Van der Kamp hem met grote angstogen wakker schudde en paniekerig wees naar het radarscherm, zag Ewoud tot zijn afschuw de twee stippen die elkaar al veel te dicht genaderd waren. *'Descend to flightlevel 350,'* instrueerde hij de piloot van het vrachtvliegtuig snel. Tot zijn afgrijzen begon het andere toestel enkele seconden later ook te dalen, vermoedelijk vanwege het waarschuwingssysteem in het vliegtuig zelf. De vliegtuigen waren elkaar al te dicht genaderd om nog te kunnen corrigeren. Het was te laat. Hij had ze in de steek gelaten. Van der Kamp stuurde hem onmiddellijk naar huis en nam samen met de plichtsgetrouwe Van Schie zijn plaats in alsof zij de dienst die nacht hadden gedraaid. Ze hadden hun verhaal paraat. Er was een storing geweest in de radarapparatuur, waardoor ze te laat hadden gezien wat er gebeurde. Van der Kamp tastte diep in de buidel om Ewoud, Van Schie en de anderen die die avond aanwezig waren, te laten zwijgen. Het was een flink bedrag, maar waarschijnlijk nog altijd slechts een fractie van de schadevergoeding die ze hadden moeten betalen als ze verantwoordelijk waren gesteld voor het ongeluk. Van der Kamp was ervan overtuigd dat ze ermee weg zouden komen, mits ze allemaal bij hun verhaal zouden blijven. Ewoud was echter door zijn drankprobleem, dat hij Van der Kamp inmiddels had opgebiecht, de zwakke schakel en daarom moest hij hem beloven het land te verlaten en nooit meer terug te komen. Als de zaken met Anouk anders waren gelopen, had hij dat ook gedaan. Lang wilde hij niet aan het zwijggeld komen, maar het verstrijken van de tijd had er blijkbaar voor gezorgd dat zijn schuldgevoelens afzwakten. Een overweldigend gevoel van schaamte overvalt hem.

'Was het te voorkomen geweest?' vraagt Victor weer.

Ewoud kijkt naar de man die alles verloren heeft. Hij is de leugens zat. Het spel is uit.

'Ja,' antwoordt hij schor. 'Ik ben in slaap gevallen. Het was mijn schuld.'

Victor knikt alsof hij niet anders had verwacht. 'Je hebt een dochter, nietwaar?'

Ewoud beaamt het.

'Dan moet je kunnen begrijpen wat je mij ontnomen hebt.'

'Het spijt me zo!' fluistert Ewoud. Het overdonderende besef van zijn schuld grijpt hem naar de keel.

Met een onverwachte beweging trekt Victor een groot, glanzend mes uit zijn jaszak en houdt dat dreigend voor zich. Ewoud deinst terug.

'Ik ben hier vandaag gekomen om je te vermoorden, Ewoud,' zegt Victor kalm en duidelijk articulerend. Het klinkt alsof hij het gerepeteerd heeft. 'Dit is de finale. Het moment van vergelding. Door jou zijn mijn kinderen en mijn vrouw dood. Jij verdient het niet om te leven.'

Even is het stil. Ewoud houdt zijn adem in. Het is voorbij, beseft hij.

Het mes flitst snel heen en weer. Ewoud wankelt, maar hij voelt geen pijn en ziet tot zijn verbazing dat Victors hand-palm zich vult met bloed. Hij is niet geraakt. Victor heeft in zijn eigen hand gesneden.

Getergd kijkt Victor naar het bloed. Een dierlijke schreeuw welt op uit zijn keel. 'Godverdomme!' schreeuwt hij. In de blauwe ogen van zijn belager herkent Ewoud zijn eigen mach-teloosheid. 'Godverdomme!' vloekt Victor nog een keer. 'Ik kan het niet!' Hij begint met gierende uithalen te huilen. Ewoud kijkt verbouwereerd toe. Dan bedaart Victor weer een beetje. Hij kijkt Ewoud indringend aan en klopt met het heft van zijn mes tegen zijn borst. Het bloed uit zijn hand druppelt op de grond. Zijn stem klinkt rauw. 'Ik zal de pijn altijd bij me blijven dragen. Maar als ik jou nu vermoord, ben ik precies hetzelfde als jij.' Met een van pijn vertrokken gezicht laat hij het bebloede mes op de grond vallen.

Ewoud kijkt naar de gebroken man die zijn schuld een gezicht heeft gegeven. Hij denkt aan zijn lieve Anouk, haar lichtblonde krullen, haar lach. Een onschuldig kind. Net zoals de kinderen van Victor dat waren.

'Het spijt me,' zegt hij nogmaals tegen Victor voordat hij met een snelle beweging het mes van de grond pakt. Hij grijpt het heft met beide handen vast en boort het mes met alle kracht en walging die hij in zich heeft in zijn eigen hart.

53

Ik kijk om me heen en als ik niemand zie, klim ik over de muur van het kerkhof. Het is al donker maar zelfs met mijn ogen dicht zou ik ons familiegraf kunnen vinden.

Ik veeg wat verdorde blaadjes van de deksteen en ga op mijn vertrouwde plek zitten.

De herinneringen komen aangestormd. Ik denk aan de lieve knuffels van Sophie die ze me op onverwachte momenten gaf en aan het eindeloze geduld van Alexander als hij een mier aan het bestuderen was. Ik zie de ontroerde blik van Natasja toen ik haar ten huwelijk vroeg. Ik denk aan onze grapjes die niemand anders begreep en aan de broodkruimels in bed als we er op zondagochtend met zijn vieren ontbeten hadden.

Ik glimlach. Niets kalmeert me meer dan de rust op dit kerkhof, dicht bij mijn geliefden.

Ver weg hoor ik de geluiden van de stad. De geluiden van een ander leven.

Ik ga op mijn buik liggen en leg mijn oor op de steen zodat ik me nog dichter bij mijn gezin kan voelen. Diep in de aarde hoor ik hun heldere stemmen praten en lachen.

Het is voorbij. Ik hoef niets meer. Ik lig hier en wacht af.

Nawoord

Hoe verzin je het? Dat vragen mensen me wel eens naar aanleiding van mijn verhalen. In geval van *Botsing* zette een artikel in een tijdschrift mijn fantasie aan het werk. De Russische architect Vitaly Kaloyev vermoordde in 2004 de luchtverkeersleider die hij verantwoordelijk achtte voor de botsing tussen een passagiersvliegtuig en een vrachttoestel op 1 juli 2002 boven het Duitse Bodenmeer. Onder de 71 slachtoffers waren de echtgenote en de twee kinderen van Kaloyev.

Een belangrijk deel van de verantwoordelijkheid voor het ongeval lag bij de betreffende luchtverkeersleider, die tegen de regels in die avond in zijn eentje verantwoordelijk was voor het luchtverkeer boven Zuid-Duitsland. Een fatale samenloop van omstandigheden zorgde ervoor dat hij pas op het allerlaatste moment zag dat er een ongeluk stond te gebeuren. De luchtverkeersleider gaf de piloot van het passagiersvliegtuig de verkeerde instructie. De piloot luisterde naar hém in plaats van naar de aanwijzing van het alarmeringssysteem in de cockpit, waarop de botsing hoog in de lucht plaatsvond.

De betrokken partijen ruzieden over de schuldvraag. Het onderzoek duurde lang. De voorlopige schadevergoeding was erg laag. Kaloyev wilde excuses en ging uiteindelijk met een foto van zijn gezin langs het huis van de verkeersleider. Toen de man niet zo berouwvol reageerde als Kaloyev gehoopt had, stak hij hem in een opwelling van woede dood.

Dat zijn de feiten waarop *Botsing* losjes is gebaseerd.

Ingrid Oonincx

Lees ook Ingrid Oonincx' spannende thriller

Nickname!

Noor, Dagmar en Roos leren elkaar kennen via een chatbox. Al snel delen ze hun dagelijkse belevenissen met elkaar. Ze blijken alledrie zo hun geheimen te hebben, die ze tijdens het chatten aan elkaar toevertrouwen. Noor wil dolgraag moeder worden, terwijl Dagmar juist niet weet wat ze met haar plotselinge zwangerschap aanmoet. Roos is op haar beurt het huisvrouwenbestaan met twee kleine kinderen zat en verdenkt haar echtgenoot van overspel. Voor ze het beseffen zijn de levens van Noor, Dagmar en Roos onlosmakelijk met elkaar verweven en worden ze geconfronteerd met hun grootste angsten.

'*Nickname* leest als een trein, is kundig en met humor geschreven.'
VN Detective- en Thrillergids

'*Nickname* is zeker een aanrader, maar alleen als je de tijd hebt om te lezen, want hij moet uit!'
VrouwenThrillers.nl ∗ ∗ ∗ ∗